MANGER L'AUTRE

ANANDA DEVI

MANGER L'AUTRE

roman

BERNARD GRASSET
PARIS

Illustration de la jaquette : Anna Crichton/Gettyimages

ISBN 978-2-246-81345-3

Si je suis inhumain, c'est parce que mon univers a débordé par-dessus ses frontières humaines, parce que n'être qu'humain me paraît une si pauvre, une si piètre, une si misérable affaire, limitée par les sens, restreinte par les systèmes moraux et les codes, définie par les platitudes

HENRY MILLER, *Tropique du Cancer*

Je me dévore dans une exquise absence de souffrance. Autour de moi se fige un lac de sang. Toute ma courte vie, j'ai défié la biologie du corps. Maintenant, je défie la biologie de la mort.

L'œil braqué sur moi, qui me relie à des millions – peut-être des milliards – d'autres yeux, ne fait que renforcer ma détermination à aller jusqu'au bout de mon sacrifice. Pour une fois que je ne suis pas un objet de mépris et de moquerie, je peux jouir sans réserve de cette fascination déferlante, j'en jubile, je l'absorbe comme un aliment de plus, moi qui n'ai vécu que pour manger, qui n'ai eu d'identité que par ce qui passait par ma bouche avant de se décomposer dans mes boyaux et d'en être expulsé – une identité résolument provisoire, donc –, je veux profiter de cette attention comme d'une revanche sur mes années d'exclusion, je veux brûler leur rétine par un juste retour des choses et imprimer dans leur cerveau la photographie de ma ruine pour mieux hanter leurs cauchemars. Je veux me venger du déluge immonde qu'ils déversent sur moi depuis toujours.

Pardonnez-moi de commencer cette histoire par ses origines organiques, guère ragoûtantes. Mais n'est-ce pas là le début et la fin de toute chose ?

Car tout est une histoire de corps. À la fin, il ne s'agit toujours que de cela, et de notre source, à la fois familière et énigmatique, dans le ventre maternel.

Commencer, donc, par l'orgasme du vivant.

Qui peut prétendre avoir jamais réussi à percer ce secret ?

On a beau y passer neuf mois de sa vie, il demeure le lieu du plus grand mystère.

Encore ébauche, tout y est décidé.

Ai-je vraiment été accompagnée pendant ces quelques mois par une ombre, par une sœur ? Ou aura-t-elle été la première victime d'un appétit déjà implacable ?

Endossant le manteau bleu des saintes, elle s'est, paraît-il, sacrifiée pour que je survive. Ainsi n'aura-t-elle été que le temps d'un souffle, d'une caresse immatérielle sur ma joue, d'une prière aux dieux des vivants avant de disparaître en me laissant une obsession en héritage.

Je n'étais pas dans le secret du ventre de ma mère.

Ce que je sais, c'est que j'ai, darwinienne, survécu.

Et ma sœur, mon double, mon indéterminée, s'est résorbée dans mes tissus et mes organes et, avec elle, toute mon humanité.

Venons-en aux faits.

Après neuf mois et dix jours très exactement, ces dix jours lui ayant paru aussi longs que les neuf mois qui les avaient précédés, ma mère donna naissance à un éléphant rose.

Il pesait dix kilos et deux cents grammes, ce qui ne représentait pas un poids excessif pour un éléphanteau mais un record pour les humains. Au moment de l'accouchement, ma mère céda au sentiment de sidération réprimée qui l'avait habitée pendant sa grossesse, au fur et à mesure que son corps fluet prenait des proportions monumentales : elle hurla comme une forcenée.

J'étais l'éléphant rose. Je n'avais ni trompe ni grandes oreilles ; mais il était impossible de nous réconcilier, moi et le mot « bébé ». Il aurait fallu trouver un autre vocable pour me décrire. Pendant que ma mère s'égosillait, le médecin et les infirmières restèrent, eux, sans voix, emplis d'un désarroi qui n'avait pas uniquement son origine dans mon poids excessif, mais aussi dans mon apparence de Bouddha chinois au regard immobile et cynique.

Ils se hâtèrent, dit-on, de m'abandonner aux bras de ma mère, pourtant la plus terrassée – physiquement et moralement – par la réalité de mon existence, et sa singularité. Je crois me souvenir d'une chambre obstinément vide, seulement peuplée par le tapage de ma faim.

J'imagine un hôpital résonnant de ces échos et de ces cris. Je pense à la fuite de tous face à l'impensable : un enfant hors normes, impossible à aimer. Peut-être aurait-il été préférable que je sois réellement un éléphant né d'une femme ; ainsi serais-je devenue une bête de foire, éveillant la curiosité, à défaut de l'amour. J'aurais été la coqueluche des réseaux virtuels qui, avides de nouveautés, auraient suivi mon développement avec passion.

Je crois me souvenir aussi d'un regard hanté ; sans doute celui de ma mère, comprenant qu'il n'y avait pas de retour envisageable, pas de possibilité d'esquiver cette réalité, pas de fuite, pas de déni, elle ne pourrait affirmer que non, cet enfant n'est pas à moi, vous vous êtes trompés, les infirmières m'ont apporté le mauvais bébé, ils se ressemblent tous, n'est-ce pas, mais un cœur de mère ne peut pas se tromper, ce nouveau-né n'est pas le mien.

Eh bien si : ils ne se ressemblent pas tous puisque je ne ressemblais à aucun autre. Pas moyen de me refourguer à une autre mère trop distraite pour s'en apercevoir. Elle était condamnée.

Mes débuts, par trop encombrants, furent marqués par ce qui définit toute la race humaine : une chute. Le lendemain de ma naissance, ma mère, encore lancinante des douleurs de la césarienne et de l'effroi provoqué par le bébé géant issu de son corps dévasté, tenta de me sortir du berceau. Elle n'avait pas conscience de ce que représentaient ces dix kilos de chair mouvante que ne soutenait pas le moindre muscle. Elle se pencha, passa ses avant-bras sous mon corps emmailloté, me souleva. Elle sentit son dos se raidir lorsqu'elle se redressa, moi dans ses bras. Ses points de suture s'étirèrent et craquèrent. Incapable de faire un pas, elle chancela et s'écrasa au sol, me protégeant de la chute par une contorsion douloureuse. (Je me suis demandé si, plus tard, elle n'avait pas regretté ce geste de préservation instinctif.)

Elle demeura longtemps ainsi, vache mourante affalée sur le vinyle verdâtre, tandis que je cherchais mécaniquement, bouche fureteuse et furieuse, son sein. Elle me nourrit, vache abattue par l'énormité de son œuvre. Sa cicatrice s'était rouverte. Le sang s'épanchait en même temps que son lait. L'intérieur de son corps était rempli d'acide. Elle pleura, elle qui ne pleurait jamais. J'étais venue à bout de ma mère forte, ma mère si belle, ma mère talons aiguilles et jupes étroites, ma mère américaine, professionnelle accomplie et redoutable que rien ne faisait trembler, et qui n'avait pas encore compris que son corps de femme renfermait bien d'autres pièges.

Je crois qu'elle me perçut dès lors comme celle qui l'avait terrassée par sa seule existence, celle qui allait gauchir sa trajectoire brillante de battante. Elle se retrouvait à présent affreusement diminuée, cheveux gras, robe de nuit relevée sur des jambes épaissies, ventre flasque – une image de ruine –, insupportable régression vers cet état de femme réduite à son rôle de génitrice, dans un temps noir où elles n'étaient encore que matrice, simple enveloppe biologique de rejetons désirés dans le plus vague des futurs ; elle était redevenue une femelle régie par son horloge intime ; elle aurait mieux fait de se faire enlever l'utérus pour être enfin tranquille. Mais avait-elle vraiment eu le choix, avait-elle pris cette décision avec la froideur précise de ses projections financières décennales ? Non, non, non. Elle avait suivi son instinct d'animal, qui doit procréer ou mourir.

Comment pouvait-elle m'aimer dans ces circonstances ?

Au commencement était un éléphant rose et bâfreur qui prenait tout de la vie et du corps de sa mère. Je ne cessais de réclamer à manger. Je passais mes journées accrochée à son sein. Mon seul bien, mon droit le plus absolu.

J'étais née avec nul autre but que celui de me nourrir. Et comme je ne pouvais le faire seule, ce travail de Sisyphe devint sa responsabilité et son fardeau.

Elle tentait, ma pauvre mère pâle, flétrie par le dégonflement brutal de son ventre, si mal préparée à une telle irruption de rage dans son quotidien ordonné, de me satisfaire. Mais rien n'y parviendrait. Ma bouche était une caverne. Encore, encore, encore, hurlait le bébé souverain, le tyran aux joues rouges, le conquérant aux cuisses de sumo.

Il ne se passait pas une heure sans que je réclame ses seins. La cadence devint infernale. Plus je grossissais, plus elle maigrissait. Ses mamelons en portaient les traces et les crevasses. Elle grimaçait chaque fois que ma bouche ouverte s'en approchait, anticipait la douleur, se raidissait en contemplant ses pauvres mamelles enflées, avec leurs veinules bleues, leurs marbrures pâles, leurs plaies rosâtres, leur écoulement gluant.

Comment font les vaches ? se demandait-elle. Ou pire, les chiens et les cochons, avec leur portée multiple, toutes ces petites gueules quémandeuses, est-ce là ce que je suis devenue ? Alors pourquoi n'ai-je que deux pis ?

Elle était convaincue que je la dévorais. Peut-être n'avait-elle pas tort.

Elle finit par me sevrer, préférant laisser tarir son abondance pour me donner le biberon. Au préalable, elle y avait mélangé des céréales. Pour me caler entre deux repas, disait-elle. Le médecin le lui avait formellement interdit, mais ce n'était pas lui qui passait ses jours et ses nuits à me nourrir. Alors, elle continua, avec la sensation plutôt excitante d'être une empoisonneuse. Hélas, mon estomac s'accommoda très bien de ce nouveau régime. Elle continua à enrichir mes biberons de céréales ; je continuai de réclamer et de grossir. Cette logique portait en elle sa propre défaite, mais elle ne le vit pas.

Au commencement était une divinité incontestée : moi. Hors de l'hôpital, les gens s'exclamaient en me voyant dans ses bras ou dans mon landau, s'imaginant admirer un bébé de plusieurs mois alors que je n'avais que quelques jours. Je fus ainsi, brièvement, un magnifique nouveau-né ; l'impératrice des nourrissons. J'étais vêtue de dentelle et de broderie anglaise. Mes joues rosissaient à l'air comme des fleurs printanières. Je contemplais le monde comme mon royaume. Mes borborygmes étaient encore assez proches du gazouillis pour ne choquer personne.

La lune de lait fut brève. Très vite, les regards s'alourdirent lorsque le bébé superbe exhiba des bourrelets et des replis qui n'étaient rien de plus qu'une adiposité inesthétique. Le poids des jugements s'abattit sur moi, mais surtout sur ma mère – après tout, j'étais l'innocence même, n'ayant pas choisi de naître éléphant. Ma mère fit la sourde oreille. Elle savait instinctivement que c'était une bataille perdue d'avance et qu'elle n'aurait pas la force de lutter contre mes exigences. Je l'avais vaincue avant même de savoir que nous étions ennemies.

Les nuits interrompues peuvent transformer des femmes normales en mégères hystériques. Les semaines s'écoulant, j'étais nourrie au son de ses grincements de dents et de ses injures marmonnées. Une nuit, excédée et à bout de forces, elle me pinça violemment au beau milieu de mon biberon.

Le bébé que j'étais manifesta une brève perplexité : devais-je exprimer ma douleur en hurlant, laissant s'échapper par la même occasion la tétine au merveilleux goût de lait caoutchouteux ? Ou l'ignorer pour ne pas interrompre le flot quasi aphrodisiaque d'épaisseur sucrée tandis que ma tendre chair était agressée par ses ongles ? Le temps que je me décide, je m'étouffai, tandis que le lait continuait de s'écouler dans ma gorge. Je régurgitai tout ce que j'avais avalé, pleurant, hoquetant, salivant, m'effondrant dans le drame sans fin de ma courte vie.

Elle me tapa dans le dos avec plus de force que nécessaire, mais je sentis dans son raidissement l'horreur qui s'était emparée d'elle : elle venait de comprendre qu'un jour, le bébé éléphant lui inspirerait une haine telle qu'elle lui fracasserait le crâne contre un mur avec une joie abrutie, acceptant la culpabilité du crime juste pour s'octroyer ce bref moment de bonheur.

Elle décida d'appeler des renforts. Elle engagea une jeune fille au pair qui, bien que passablement robuste, pouvait à peine me porter. Et qui fila sans demander son reste. Vint ensuite un défilé de nourrices qui ne me supportèrent pas plus de quelques semaines, voire quelques jours.

J'étais pourtant plutôt aimable. Je crois que j'aurais été d'humeur assez égale si je n'avais ainsi été tenaillée par la faim. Mais les nourrices devaient se lever la nuit au son de ma fureur tandis que mes parents dormaient, protégés par des boules Quies. À leur tour, elles ressentirent les mêmes envies de violence que ma mère, et s'en allèrent avant de commettre l'irréparable. Comme quoi, le sentiment maternel est très surfait.

Finalement, ma mère trouva la meilleure nourrice qui soit : mon père. Puis s'en alla.

Mon père. Mon sauveur. Génie souriant et charmeur. Les yeux si clairs de ses certitudes qu'aucune arrière-pensée n'ose les assombrir. La fée penchée sur mon berceau au bout d'un long défilé de sorcières.

Le seul à voir en moi autre chose qu'un boudin informe.

La première fois, rentrant d'un voyage qui l'avait empêché d'assister à ma naissance désastreuse et surgissant au milieu de ce gouffre qui a entre-temps happé ma mère, il se manifeste comme une divinité créée exprès pour moi. Il sourit. Il est bien le seul. Il ne remarque pas l'excès de graisse qui me rend flasque et balourde. Il ne perçoit pas le pli de vexation que l'attente de la nourriture creuse aux coins de ma bouche. Il ne fait pas attention à mes mains spasmodiques qui cherchent un sein auquel s'accrocher, ni à l'incessant mouvement de succion de mes lèvres.

Il se penche vers moi, exprimant son admiration et sa stupeur qu'une chose aussi royale soit issue de son union avec sa femme. Mon père est un créateur. Il ne voit que cet aspect de moi – une sorte de grand œuvre qu'il va désormais tenter de parachever. Ce sourire et cette exaltation me surprennent tant que je cesse quelques instants de réclamer à manger.

Mais c'est magnifique ! s'écrie-t-il. Ma mère le contemple comme un extra-terrestre. Comment ose-t-il afficher une telle gaieté, s'affubler de ce masque de clown qui ne trompe personne ? Ne voit-il pas que ce bébé n'en est pas un ? Elle tourne la tête vers le mur et refuse de répondre. Il me soulève sans peine, certain de sa force. Cette force-là sera la tienne, me promet-il silencieusement. Elle t'est acquise. Il ne reviendra jamais sur sa décision.

Ce n'est pas sa faute si je traîne une charge trop lourde pour moi. Et si cette charge teindra toujours de noir l'or de sa présence. Une telle bonté est impossible.

Puis, mystérieusement, il dit à ma mère : Nous avons deux belles petites filles.

Ma mère se cogne la tête contre le mur, serrant les dents et les poings. Je crois que si elle s'était retournée, elle lui aurait craché au visage. Son sang brûle. Son ventre tiraillé se crispe encore plus sous l'assaut de sa rage. C'est peut-être à ce moment-là qu'elle commence à nous abandonner.

C'est là que débute le mensonge de ma vie duelle, mon impossible tentative de me résoudre.

Dès cette entrée en matière, je ne cesse de m'amplifier. Je déborde de tous les espaces où la vie tente de me confiner. Je suis sans limites. Je veux regarder le ciel dans les yeux et m'en réjouir. Je suis éblouie de démesure.

Et je grossis. Et je grossis.

Papa engendre un mythe.

Tel Dieu le Père, il décide de repeupler le ventre de ma mère. Il m'affuble d'une jumelle disparue. Dissoute dans l'énigme matricielle avant que je n'en émerge, triomphante, elle résiste pourtant et survit, se manifeste dans mon ampleur et mon embonpoint, dans toutes mes aires démultipliées.

Une autre qui me surplombe dès mes débuts maussades, qui me suit et me fait de l'ombre, qui me hante et me nargue, si habilement mêlée à mes cellules que seul mon père la perçoit.

Une autre qui s'attache à mes cadences maladroites, mon allure de navire en perdition, le roulis de ma panse en mal de flottaison. Là où je me dandine comme une oie, elle bondit, elle, comme un chat. La bouffissure de mon visage est amplifiée par la finesse de faune du sien. À chaque tournant de mes jours, elle est là, narquoise, velléitaire, capricieuse et sublime. Elle fait des pointes, en équilibre sur un fil, tandis que je menace de m'enfoncer, à chaque pas, dans un sol bien trop meuble pour moi.

Quand je comprends ce que mon père a accompli en m'accolant cette ombre, il est trop tard pour lui en vouloir.

Sa conviction est telle qu'il m'oblige à accepter son explication et à me plier à un jeu qui n'en est pas un. Je ne savais pas que la schizophrénie pouvait nous être imposée.

Elle devient une présence permanente dans ma vie, comme si je ne me suffisais pas, comme s'il n'y avait pas *assez* de moi et qu'il ne serait pas préférable que ce soit moi qui disparaisse pour laisser place à ce double invisible – mon autre et mon contraire. Dans mon univers comestible, elle est l'indispensable intruse.

Que mon père ait voulu trouver une explication à mon amplification, qu'il ait souhaité m'offrir un prétexte et une consolation partait d'un noble sentiment. Mais il a aussi instillé en moi un doute affreux : celui d'avoir dévoré ma sœur intra-utérine et d'en être ressortie à la fois rassasiée et éternellement affamée. Je serais désormais inassouvie en permanence. Il m'ôte une part de mon humanité et passe le reste de ma vie à tenter de me la rendre avec ses nourritures terrestres et son amour divin.

Père : mon adorateur ; mon bourreau.

Enfant, dès lors, je rejouais à l'infini cette tuerie. Je répétais à l'envi cet acte commis avant ma naissance, mais en y ajoutant de belles fioritures. L'enfant ne manque pas d'imagination pour emprisonner sous la glace, hacher menu avec un couteau à beurre ou pendre à un lampadaire l'objet de sa haine.

Persuadée que cette sœur impossible était la cause de ma corpulence, je me disais que si je me débarrassais d'elle – pour de bon cette fois – je retrouverais les proportions d'elfes gracieux des autres filles de mon âge.

Mais en grandissant, sa présence est devenue une ombre essentielle, parfois consolatrice, parfois tourmenteuse. Une voix vide et vitale, dont je ne peux plus me passer.

Elle tente par tous les moyens de me persuader qu'elle existe. Je tente d'ériger entre nous des barreaux de lucidité qu'elle parvient à rompre sans difficulté. Bien sûr, tu ne comprendras pas, dit-elle. Tu ne crois pas que j'existe, dit-elle. Et pourtant, que sais-tu du mystère du ventre, de l'œuf dédoublé, des cellules qui se divisent ? Personne ne comprend ce miracle. J'ai été. Et toi aussi. Seulement, tu as choisi de survivre. Je t'ai sue, je t'ai sentie. Nous étions si proches que je respirais le souffle de ta bouche, qui n'était encore que liquide. Je n'ai jamais eu de sentiment de solitude. Tes bras m'entouraient, fusionnés à ma chair. Nous n'avions pas conscience de notre individualité. Nous étions doubles depuis notre genèse, doubles et plurielles, amies, amantes, consolantes, riches de notre dualité, de notre gémellité, de notre certitude de n'être jamais seules.

Mais tu as choisi l'autre chemin. Tu as décidé qu'il n'y avait pas assez de place pour nous deux dans le ventre de notre mère. Tu as voulu te battre. J'ai voulu, quant à moi, résister et survivre. Et c'est pour cela que je trouverai toujours le moyen d'être. Je n'ai pas abandonné la partie.

C'est notre père, vois-tu, qui a raison de croire en moi. À chaque fois que tu penses souscrire à un mythe, tu acceptes au contraire la vérité de ton intuition.

Au bout de nos conversations, ou plutôt de ses monologues, je la bâillonne en remplissant ma bouche de nourriture. Je l'ensevelis en me gavant.

J'ai la bouffe solitaire et morose.

Mon corps ne comprend que l'horizon. L'ascension verticale lui est quasi impossible. Mon ventre, mes fesses, mes hanches, tous s'évertuent à atteindre les bornes lointaines du monde. C'est là leur plus grande ambition. Pour moi, c'est une prouesse. Pour les autres, un échec d'une rare violence.

L'instant fatidique, le point de non-retour, arrive lorsqu'à treize ans, je monte sur le pèse-personne et vois avec effarement les chiffres s'envoler. Ils détalent, déboulent, s'envolent. 80, 85, 90, 95… Lorsque je parviens à cent kilos, je deviens chose publique. Cent cinq. Cent dix. Cent quinze. Grandiose lynchage. Je suis offerte à tous les piloris. Je n'ai plus droit à moi-même.

Après tout, si je ne peux faire l'effort de freiner la dilatation mon corps, si je suis prête à l'offrir aux regards sans aucune pudeur, sans considération pour leur âme sensible, pourquoi les autres se priveraient-ils de leur droit de représailles ? Je les agresse rien qu'en existant. Je suis l'horreur qui aurait dû être tue, cachée ou étouffée dans l'œuf, mais voilà, je suis. Je suis. Sans excuse et sans justification. Aucune possibilité de résistance ne m'est offerte, aucun rempart à la violence qui déferle. Les vagues assassines m'assaillent.

Cent vingt, cent trente. Cent quarante. Je cesse de compter.

Je suis le rejeton monstrueux d'un mariage contre nature entre surabondance et sédentarité. Je subis ce que vous refusez de voir mais subirez tous un jour : le gonflement grotesque de l'inutile. Et qu'y a-t-il de plus inutile que l'excès de gras, je vous le demande ?

Plus que le mal physique, je suis la représentation psychique de notre époque, j'en suis l'immodéré somatisé, la terreur et la spirale autodestructrice (oui, je ne crains pas une telle emphase, parce que la communication passe désormais par une amplification dénuée de sens, par un besoin d'outrance et de redondance – je suis dans l'air du temps, dans la même extension du vide). De nous, du monde dont je fais partie, ne reste que le plus délétère. Prisonniers de nos envies pléthoriques, nous nous sommes enfermés au point qu'il nous est devenu impossible de nous libérer sans éprouver une panique irrationnelle. Ne reste plus que l'assouvissement des envies du corps – gloutonnerie et pornographie, nos deux mamelles.

Notre ville en est l'exemple parfait : les murs et fortifications rehaussés d'année en année lui donnent des allures de forteresse médiévale comme pour mieux signifier son retrait des conflits, des luttes et des peines du monde. Des murs dont la construction a été obtenue par référendum (*dites oui au barricadement urbain*) et qui sont faits pour empêcher l'irruption des invisibles dont les ombres se profilent sur le versant de nos vies. Mais ainsi claustrés, nous sommes seuls face à notre paranoïa. Tous craignent l'approche d'une fin annoncée que l'on ne cesse d'attendre, que les médias ne cessent d'anticiper. On aurait presque préféré qu'elle arrive une bonne fois pour toutes, plutôt que de subir cet incessant martèlement de menaces, de crises, de catastrophes qui finissent par se résorber dans un quotidien au calme inquiétant de monstre endormi.

Au jour le jour, on fait comme si tout allait pour le mieux, on écoute les informations sans les entendre, on lit sans les comprendre les mauvaises nouvelles dans les journaux, mais notre appétit pour elles continue paradoxalement de grandir. Ceux de mon âge, eux, n'écoutent plus que leur propre bavardage puéril, ne regardent plus que leur propre image démultipliée, leur hypnose, leur ivresse, leurs obsessions égocentriques, ou bien ils se livrent à des luttes de bandes assassines qui leur donnent une impression de pouvoir là où ils n'en ont aucun. Une longue conversation qui tourne à vide sans jamais s'interrompre. Une futilité si profonde qu'elle leur tient lieu de cœur. Les rires, les mines, les moues : grand étalage du rien. Le regard tourné sur soi, chacun devenu la vedette de son show, chacun se gavant de son illusion d'importance, d'une insupportable complaisance : le miroir de ma génération.

Ils ne s'unissent véritablement que dans leur hostilité à mon égard. Je suis leur point de ralliement. Grâce à moi, ils ne se sentent pas les plus nuls, les plus ignares, les plus condamnés à l'échec. Je suis le prétexte de leur méchanceté. Je suis leur proie. J'ai beau être plus forte qu'eux, face à leur regard, je m'effondre.

Les vannes, les croche-pattes, les bousculades. Une rage joyeuse m'environne. Je suis dans l'isoloir de mon corps, mon seul espace. Les remous que je crée sont des ondes sismiques. J'attends que la terre s'ouvre pour disparaître, mais je suis, hélas, bien trop visible, bien trop massive pour m'effacer si aisément.

L'année de mes quinze ans, pour éviter l'épreuve de la journée sportive du collège où leur dérision atteint son apogée, je décide de m'enfermer aux toilettes et de devenir, pour de vrai, ce qu'ils ont toujours dit que j'étais : de la merde.

Ce ne sera pas difficile. Je suis déjà traitée de la sorte par tous. Je n'ai qu'à me persuader que la transmutation a bien eu lieu.

Je m'interroge quant au type de déjection que je serais : grosse (évidemment), brun sombre comme mes ruminations, pas trop nauséabonde mais un peu tout de même, du genre qui résiste à la chasse d'eau plusieurs fois avant de consentir à se laisser noyer. Tel un bouchon frondeur, elle refait surface après chaque averse, me regardant en face et me disant : ne me chasse pas, je suis à toi, je fais partie de toi. Je suis l'intime pourriture qui a voyagé dans ton corps, qui a suivi le chemin de tes intestins, qui a rassemblé tous tes poisons pour te permettre de continuer de vivre. Pourquoi, alors, m'abandonnes-tu ?

Bien sûr, je ne l'écoute pas. Je m'efforce de l'achever – et de m'achever moi-même par la même occasion. J'aurais bien voulu disparaître en la laissant là, pirogue insubmersible et narquoise, mais je ne peux supporter l'idée de laisser derrière moi des saletés qui seront découvertes par les prochaines usagères des lieux et qui s'ajouteront à l'enfilade de griefs et de moqueries qui me suit comme une écharpe étrangleuse au vent.

J'attends donc que la citerne se remplisse de nouveau, lentement, avec son gargouillis maussade, et je transpire, et je passe en revue toutes les options, et je finis par me rasseoir, paralysée, sur la lunette tiédie par mon corps, contemplant les murs grumeleux, les recoins moisis, le sol poisseux, la claustrophobie de mes peurs.

Ce serait tellement plus simple d'être cette petite masse flottante à la vie courte et vite abolie, aux fonctions bien définies, si certaines et si utiles, plutôt que la chose ruisselante de graisse qui la surplombe, ruinée de larmes et d'un désespoir trop énorme pour être jamais vaincu – l'Annapurna des chagrins.

Le petit coin se referme autour de moi, refuge du dernier recours lorsque toutes les fuites sont impossibles, le dernier trou où je parviens encore à me cacher, tandis que le collège se trémousse avec son habituel affairement nerveux. Le bruit des pas pressés – *tap, tap, tap, tap* – des élèves courant d'une classe à l'autre, ceux, plus lents, des profs, pesants de certitudes, les hululements des filles aspirées par le trou d'air de l'angoisse, l'appel sec d'un pion tendu comme une lame d'acier.

Tout cela se déploie autour de moi tandis que, désormais affranchie de toute responsabilité et de tout devoir, je flotte dans une eau glauque et une obscurité paisible.

Je ne sortirai pas des cabinets de la journée, jusqu'à ce que mon père vienne en défoncer la porte.

Pendant que j'attends ainsi, résonne au loin la mélodie de l'horreur : *Le Pont de la rivière Kwaï*.

Le Pont de la rivière Kwaï est l'hymne de la journée sportive annuelle. Les écoles, collèges et lycées de la ville y sont tous invités. Dans le grand stade qui fait notre fierté, des milliers d'enfants s'amassent comme des cloportes.

Ils vrillent les tympans de leurs cris – un tsunami d'excitation primaire et débridée. Ils s'agencent en clans, prêts à en découdre. L'événement leur fond le cerveau ; ils basculent dans un état de fébrilité croissante. À mesure que la journée progresse, ils deviennent rouge écrevisse ou violets, les cheveux en paillasse, ils puent de tous les pores, frémissent d'une rage tribale.

Au début des jeux, tous les élèves de mon collège défilent au son du *Pont*.

En rang, en rythme, en cortège. Sous le soleil. Sous les yeux. Et j'aurais dû y être, moi aussi, comme chaque année. Celle que l'on voit d'emblée, parmi tous ces oisillons identiques. Celle qui défie tous les canons, toutes les normes, toutes les anticipations.

L'enfant énorme exposé aux milliers d'yeux qui, dans sa tête, deviennent des millions d'armes braquées sur lui. Même la lumière se concentre au milieu de son crâne, un doigt pointé pour dire à l'immense stade : la voici, c'est elle.

Je suis l'agneau d'Abraham. Le sacrifice humain des Aztèques. Le rat responsable de la peste. La nuit de la malédiction s'abattant sur le monde.

Le chemin autour du stade est si long que je ne peux en imaginer la fin. Je suis vouée à être l'ultime pâture. À cheminer seule jusqu'à la roche Tarpéienne. À marcher jusqu'à mon échafaud.

Et j'attends, comme d'habitude, le premier sifflement marquant l'arrivée de la huée.

Au fur et à mesure que je marche, les sifflets s'ajoutent les uns aux autres jusqu'à ce qu'ils deviennent une pluie d'aiguilles se fichant dans ma chair. L'air est incandescent. Ma peau est rouge feu. Je ressemble à un ballon de baudruche, mais je ne suis, hélas, pas faite de la même matière. Sinon j'aurais dégonflé sous la piqûre des sifflets et j'aurais disparu, soulagée, dans une bouffée d'air. Mais je suis un pourceau bien gras, tassé dans sa propre fange, une fille Bibendum sans sourire et moins chauve, mais non moins pneumatique, un corps si bien enveloppé de lard qu'il ressemble davantage à un rôti qu'à un être humain.

Plus prosaïquement : l'enfant le plus obèse que vous ayez jamais vu. Une fille – mais est-ce bien une fille, cette chose qui piétine la pelouse du stade, cette enflure pathétique qui, d'ici quelques années, atteindra des proportions astronomiques ? – au corps emprisonné dans un jogging informe, dont les bras forment avec son corps un angle de 45°, dont le cou est enseveli dans un menton multiple, dont le ventre proéminent semble celui d'une naine parturiente, dont les genoux se plissent comme des bas épais sans élastique... Les images ne manquent pas pour illustrer ma difformité, ni les mots pour me clouer à mon pilori de misère.

Les plus inventifs, pour cela, sont les enfants. Ils manient à merveille les perceuses électriques de la moquerie. Les mots de la crucifixion. Épines et glaives, au choix. Et quelle plus grandiose arène pour ces jeux cruels que la journée sportive ? *Le Pont de la rivière Kwaï.* Les Japonais sont là. Je suis l'unique prisonnière de guerre.

Le temps que je fasse le tour du stade, les rires se transforment en onde de choc qui vient se heurter au mur de mon corps, je suis une marée de sueur et de honte, mes cheveux adhèrent à mon crâne et la rage me recouvre de son habit de brûlure.

Railleries, mépris, ricanements et ébahissement de leur côté ; colère, humiliation, tristesse et anéantissement du mien. Je marche, droite-gauche-droite, chaloupant tel le dindon proverbial, et les voix fusent, et les sifflets et les ricanements se coagulent en mots :

La Couenne ! La Couenne !

Et la Couenne marche, traînant dans son sillage les quolibets qui alourdissent davantage ses chairs :

C'est la grosse tache qu'on voit depuis l'espace !

Les Japonais ont envoyé un baleinier pour la capturer !

Ses règles, c'est une hémorragie !

Pas besoin d'eau courante, elle a qu'à transpirer pour remplir la baignoire !

Une nouvelle forme de vie s'est développée dans ses bourrelets !

Quand elle pète, l'alerte à la pollution explose !

Les mecs ont une seule bite, elle en a dix au bout des mains !

Chaque année, ils m'attendent. Je suis le clou du spectacle. Chaque année, je tente de m'y soustraire. Je plaide le mal de ventre, le mal de crâne, le mal au cœur. Mais les professeurs refusent de me dispenser du défilé et, à leur sourire, je comprends que pour eux aussi il s'agit d'un moment privilégié : je suis le divertissement qui les arrache à leur morosité, la revanche de leur métier ingrat.

Pour une fois ils sont tous, élèves et profs, réunis dans une hilarité commune. Que j'en sois si cruellement la cible ne les émeut pas. Je dois être dézinguée. Je les dégoûte. Je suis une tare souillant la beauté de cette jeunesse multicolore, cette fleur de l'âge destinée à mijoter dans sa petite marmite d'amour et d'espoir (ou de détestation et de mesquinerie).

Mais ce qui me désole vraiment, c'est que mon père aussi refuse de m'aider. Pas de note d'excuse à la veille de la journée sportive pour me préserver de l'humiliation. J'ai beau lui expliquer ce que j'endure, il me regarde, les yeux brillants, pose ses mains sur mes épaules, et me répète qu'il est fier de moi – de nous.

N'ayez pas honte de ce que vous êtes, me dit-il. Défiez-les la tête haute. Vous valez davantage que tous ces gamins ignorants réunis. Montrez-le-leur.

Ignorants ? Ces gamins sont atteints de la rage, ai-je envie de lui dire. Ils sont prêts à se transformer en bestiaux pour se repaître de ma chair, ce ne sont pas des enfants, ce sont des monstres, leurs yeux les trahissent. Mais rien ne le fait fléchir. Il tente de me communiquer une force que je n'ai pas. Être fière de moi (et de ma sœur) ? Grands dieux, il aurait fallu qu'il nous fabrique autrement !

Lorsque j'ai pour la première fois été ébouillantée par la journée sportive, je me suis précipitée vers lui pour être consolée. Il a refusé de me protéger. Vous devez être fortes, a-t-il répété. Se cacher ne sert à rien. Un jour, ils vous respecteront.

Sa promesse était une trahison. Il ne l'admettrait pas.

La Couenne ! La Couenne !

Je termine le défilé au son de cet atroce mot déployant sa barde autour de moi. Je termine le défilé, devenue de la pure graisse de porc.

Après cela, y aurait-il quelque raison de rester humain ?

Cette année, donc, je décide de résister. Je ne sors pas des toilettes tandis que retentit l'hymne à ma gloire. J'entends le silence d'anticipation qui succède à l'air martial. Aura-t-elle encore grossi cette année ? Quelles proportions aura-t-elle atteintes ? Tombera-t-elle à la renverse comme une tortue bourrée, incapable de se relever ? Pendant des mois, ils auront cherché de nouveaux noms, de nouveaux adjectifs, de nouveaux verbes, de nouveaux bons mots. Ils auront aiguisé leurs crocs, raffiné leur venin, ils auront affûté leur voix et leurs yeux pour trancher dans le gros tas de gras ; mais cette fois, le tas de gras a été plus malin qu'eux.

En se transformant en merde, il aura déjoué leur plan.

J'ai flotté jusqu'au soir, m'abrutissant de la cascade répétée de la chasse d'eau que je tirais pour me laisser emporter – mais je n'y parvenais jamais. Peut-être était-ce ce même instinct de survie qui me forçait à résister ? Toujours est-il que je ne suis pas partie dans les tuyaux et les conduites où j'aurais pu me dissoudre dans un oubli consolateur.

Je suis restée. Vivante, plus ou moins, si tant est que l'on puisse dire vivante cette masse désolée, privée de libre arbitre. Si forte a été ma conviction d'une métamorphose que je n'ai eu, ce jour-là, ni faim ni soif. Une première ! La merde, donc, est la résolution des nourritures. Pour une fois, j'étais au bout de la chaîne et non au début. Je m'étais brièvement affranchie de l'exigence souveraine de mon estomac.

Car être obèse est une souffrance. Chaque bouchée vous coûte. Vous percevez le parcours et la transformation de chaque particule dans votre corps. Au-delà des besoins énergétiques, tout le reste va joyeusement s'ajouter aux couches de graisse qui vous gainent. Millimètre par millimètre, vous vous élargissez. Vous vous déployez. Vous ouvrez la bouche. Une tranche de pizza s'y enfonce, entière, pliable, presque sans avoir besoin d'être goûtée par le palais. Puis une autre, et une autre encore. Les saveurs s'y succèdent : fromage, tomate, pâte, anchois, thon, charcuterie. Une fois avalées, elles trouvent, confortables, leur place dans votre estomac. Et elles attendent la suite. Votre corps est une usine. Son seul but, l'expansion.

Après le salé, vous avez besoin du sucré. Votre appareil digestif le réclame. Alors la bouche s'ouvre de nouveau pour engloutir cakes, tartes, glaces et barres de chocolat qui attendent leur tour en rangs indisciplinés de glucides, de lactose, d'amidon, de lipides, de protides, pressés de construire leur bombe à retardement dans ce corps bien trop accommodant.

Les saveurs lancent des messages au cerveau, lui disent que l'acte de manger est un assouvissement et une jouissance. L'acte de manger est orgasmique. On ferme les yeux d'aise, on ronronne, parfois on s'exclame, on salive, on s'alanguit de bonheur – et on en redemande. L'addiction est telle qu'il n'y a pas un instant de répit. Qui, de l'appareil digestif et du cerveau, régit l'autre ? Y a-t-il une symbiose meurtrière qui se crée et amplifie la voracité jusqu'au point où elle devient la seule divinité qui vaille ?

Je n'en sais rien. J'ai trop vécu avec elle pour espérer comprendre ce que ce serait, d'être repue.

Chaque jour, mon cartable se fait lourd, non de livres mais de victuailles. Je dissimule partout des barres de chocolat pour pouvoir me nourrir pendant les cours. J'ajoute des poches à mes vêtements, des doublures à mes trousses. Mais personne n'est dupe. Les rires fusent dès que mes mains s'en approchent. Les professeurs, désormais, connaissent mes habitudes. Mes oreilles bourdonnent, devenues rouges de honte sur leur pourtour. Mais qu'y puis-je ? Je suis prisonnière de mes besoins. Ils ont la primauté absolue. Entre faim et honte, le choix est vite fait. La honte, de toute manière, est ma compagne. Même si je ne mangeais plus rien, leur mépris me suivrait toujours, accroché comme une sangsue à ma peau, il boirait mon sang, me boufferait crue. Alors, résignée, je poursuis mon œuvre solitaire de dévoration. Ma bouche n'est jamais vide. Je suis une ruine saliveuse. Au moins suis-je sûre que ma chair est délicieuse.

Un jour, arrivée à mon pupitre, le plancher craque sous mon poids et se fissure. Je vacille, je bascule, je me vois chutant à l'étage du dessous et peut-être même plus bas, jusqu'à m'écraser avec un fracas de chair éclatée sur le ciment du préau. Je revis le cauchemar familier du sol qui s'effondre sous mon poids. La terreur m'étouffe, je suis paralysée. Le sol se plie, s'incline, gémit. Je m'accroche à ma chaise et parviens à demeurer debout. Je bouge mes pieds de façon à ne plus me trouver sur la faille qui se dessine. Je suis arrimée, pliée en deux, les fesses pendantes, position ridicule, la lèvre tremblante de peur. Tous éclatent de rire. Personne ne se rend compte que j'ai failli mourir. Que de telles brèches, je dois en affronter tout le temps. Ils rient. Le plancher ne s'effondre pas. Je ne suis pas tombée. Je me remets debout. Je me tiens droite. Je toise la prof qui me regarde et qui, après un instant d'hésitation, leur ordonne de cesser de rire et de se calmer. Bref triomphe.

La Couenne, me susurre leur souffle dans mon cou, réverbéré par les murs, par les rires. Continue de nous amuser, la Couenne. Continue de nous dégoûter et de nous consoler d'être nous.

De plus en plus, la tentation du refuge, de la solitude. Ne plus les voir ni les entendre, ne plus subir, ne plus marcher sous les regards corrosifs.

Je pourrais rester toute ma vie assise là, aux toilettes. Je ne serais plus qu'une étape dans le voyage de la nourriture, un transit – c'est le cas de le dire – pour les matières organiques, mon corps ne servant que de boyau broyeur.

La question me hante. Ici, dans cet espace étroit, entre ces murs tapissés des déjections de générations d'enfants, environnée de messages exprimant la cruelle bêtise de l'enfance et son inutilité impétueuse, je ne perçois aucun sens à ma vie, aucun but supérieur qui justifierait la nécessité de nourrir mon corps. Toute mon énergie est dédiée à cela : me nourrir ; et évacuer la nourriture. Rien entre. La Couenne s'épaissit. Je suis ce que je mange. Fermant les yeux, je tente de rêver mon futur. Mais mon esprit ne m'offre que des visions de festins, des montagnes à la crème couvertes de framboises, des gratte-ciel de mille-feuilles, des bains de friture dans lesquels flottent les innombrables morceaux de chair et de mort qui assouvissent notre convoitise. Mon avenir est un festin soumis à un désir obscène ; mon ambroisie.

J'imagine mon corps grossissant dans cet espace exigu, et l'emplissant jusqu'à ce que je ne puisse plus en sortir.

Il suffirait alors de me nourrir et j'évacuerais le tout dans un processus organique, naturel et terrible ; nul besoin de bouger : je finirais ici, dans une extase livide.

Tu es plus que cela, murmure ma jumelle, collée au plafond, le nez pincé pour se protéger des odeurs, mais comment le saurais-tu ? Aucun miroir ne consent à te montrer une autre image que celle de ta singularité. Aucun regard ne te recrée sous une forme moins effroyable, qui marcherait sans crainte de fissurer le sol.

Et quand bien même tu aurais traversé le plancher, que serait-il arrivé ? Tu ne serais pas morte. Peut-être aurais-tu été paralysée ? Dans ce cas, tu aurais bénéficié d'une sympathie à laquelle tu n'as jamais eu droit. Tu vois, on peut toujours tirer profit des travers et des aléas. C'est ce que l'époque nous a appris. L'image est infiniment plastique et modulable. Donc, infiniment manipulable. Penses-y.

La résistance humaine est admirable, vois-tu. Et sa ténacité. La preuve : je suis là. Sans cette obstination de vivre à tout prix, même tétraplégique, même aveugle, même sans corps visible, nous aurions depuis longtemps été anéantis comme les dinosaures. Les comètes ne sont pas venues à bout de notre espèce. Et crois-moi, nous avons beau paraître fragiles et voués à l'extinction, il n'en sera rien. Nos gènes survivront et referont surface après l'apocalypse. Car ils ont la ténacité de l'égoïsme. Les individus des autres espèces se sacrifient pour la survie du plus grand nombre ; nous, nous ferons tout pour survivre, au prix du plus grand nombre.

Si tu me donnais le droit d'être, je te dirais ceci : qu'ensemble, nous pouvons venir à bout de ta terreur. Tu pourrais écouter le rire enfoui dans tes vallées, jouer à la marelle avec tes envies. Ma sœur, ma frangine, ouvre-moi ta porte, prête-moi ta vie.

Je connais son jeu. Elle fait semblant de me consoler, de me montrer une autre réalité en utilisant des arguties fallacieuses (et souvent ridicules), mais tout finit toujours par revenir à cela : je dois l'accepter, admettre sa réalité comme une formule magique, pour qu'elle prenne corps et devienne vivante.

Mais je suis trop lucide pour cela. Je sais le danger que je courrais. J'abandonnerais mon libre arbitre, j'accepterais alors qu'à un corps en dérapage s'allie un esprit en déraison. Quel droit aurais-je à la vie, dès lors ?

J'ai échappé au défilé. Mais pas à l'œil. Celui qui me suit depuis que j'ai dû m'aventurer dans la jungle, et qui me suivra sans doute jusqu'à la tombe.

Au bout de la journée, exténuée par mon immobilité forcée, je commence à me dire qu'il est temps de sortir.

C'est là qu'elles arrivent, comme une nuée de guêpes vrombissantes. Elles m'ont cherchée partout. Elles, mes tortionnaires de toujours, que j'ai privées aujourd'hui de leur divertissement favori. L'air bourdonne de leur colère, de leur curiosité, de leur venin. Elles ouvrent une à une les portes, et enfin s'accroupissent pour regarder par l'espace qui sépare ma porte fermée du sol. Elles voient mes jambes, si facilement reconnaissables, ma culotte à mes pieds, mon cartable plein à craquer.

Elles apportent un tabouret et l'une d'elles s'y juche. Sa main s'insinue au-dessus de la porte, tenant un portable. La main d'une autre se glisse au-dessous, armée de même. Elles ont ainsi deux perspectives opposées ; elles capturent ma déroute par le haut et par le bas. Je ne peux rien faire pour m'y opposer. Mes larmes ont l'odeur d'ammoniac de leur rire.

Elles font ça tout le temps. Elles prennent des photos ou des vidéos de moi de dos, de face, de profil, mon ventre, mes fesses, mes cuisses, mangeant, ruminant, rageant, et elles les postent sur leur lieu de partage et de flagellation préféré. Elles ont du succès. Ce n'est pas tous les jours qu'on a un monstre à portée de caméra. Avec ses émotions aussi excessives que son physique, et sans doute aussi laides à voir. Je suis leur amusement quotidien. Je ne vais plus sur ces sites, mais elles se font un devoir de me répéter les commentaires les plus dégradants et les plus orduriers écrits à mon sujet.

Et voici qu'elles achèvent ma journée merdique en prenant des photos de moi, pleurant dans ces toilettes sinistres.

Je ne ressens plus aucune révolte, aucune colère. Seulement l'usure de cet œil braqué sur moi en permanence, qui ne me laisse aucun répit, ne m'offre aucun repos.

Même pendant les vacances scolaires, elles continuent de me poursuivre, de me traquer. Pires que des paparazzis, elles sont des charognardes qui se repaissent de ma chair.

Demain, je serai débitée en petits morceaux qu'elles dévoreront tout crus.

Ma sœur me propose de les assassiner ; je ne lui réponds pas.

Vous êtes deux petites folles, dit mon père.

Qu'est-ce qui vous a pris de vous enfermer aux toilettes et d'affoler tout le monde comme ça ? Mes chéries, il est temps de cesser ces enfantillages, vous êtes de grandes filles, il ne faut plus effrayer papa de la sorte, d'accord ?

Je ne le regarde pas. Il me parle – non, il *nous* parle comme à des demeurées. Alors, je boude et je me tasse et je joue aux demeurées, puisque c'est ce qu'il attend. Je suis trop en colère pour me défendre.

Je n'écoute plus ce qu'il nous dit, à moi et mon boulet de jumelle. Je n'en peux plus de ce dédoublement forcé. Comment vivre avec l'idée qu'elle aurait été absorbée par la gourmandise qui m'habitait dès le ventre de ma mère ? Je l'aurais donc, si l'on suit le raisonnement de mon père, littéralement dévorée. Comme tout ce que j'ai rencontré après ces débuts peu auspicieux.

Comment peut-on vivre avec une telle charge ? Je suis trop lourde à porter. Je vacille entre l'envie de le croire et de m'exonérer ainsi de la honte, et l'envie de rejeter tout ce qu'il me dit et de n'être rien de plus que ce que je suis ; de ne plus voir que mon propre visage dans le noir.

Tu ne sauras pas, père, les larmes que nous avons versées face à l'horreur de cette double existence. Tu ne sauras pas combien j'ai cherché les raisons de mon étrangeté dans cette explication trop brève et trop vaste à la fois, sans jamais les trouver. Je ne pouvais me mesurer à aucune aune. Rien n'était comparable à ce que j'étais. Et mon anomalie était décuplée par tout ce que tu me léguais de lourd et de mystérieux, qui me condamnait à une impossibilité. Combien je l'ai cherchée, cette explication qui m'aurait permis de m'accepter ! Mais non. Rien. Une mère absente. Un père fidèle à ses mensonges. Et un corps que les regards refusent d'embrasser, sauf pour le transformer en spectacle.

Peut-être ma sœur connaît-elle ce secret que je cherche en vain ? Peut-être est-elle celle que je continue de chercher dans tout ce que je mange ? Je me surprends parfois à rêver de son goût. Quand on me sert du cochon de lait, je me demande si ma sœur avait ce même goût tendre, cette manière de fondre dans la bouche sans qu'on ait besoin de la mâcher, ce parfum troublant d'âme caramélisée…

Est-ce toi que je cherche sans cesse, frangine assassinée ?

Arrivée à la maison, je me vautre dans mon fauteuil, le plus ample de la pièce, parsemé de miettes de nourriture et sentant le vieux chien, en attendant que papa finisse de préparer le repas. Il chantonne dans la cuisine. Je ne tente pas de m'expliquer sa bonne humeur permanente. Est-il optimiste ? Inconscient ? Cynique ? Sadique ? Stupide ? Je n'en sais rien.

Il n'est jamais triste ou fâché. Il semble heureux alors que ma mère nous a quittés, qu'il a l'entière responsabilité d'un enfant obèse, qu'il doit accomplir seul les tâches ménagères, puisque j'en suis incapable.

Il chante un air d'opéra tandis que sa fille contemple les boyaux de son humanité. C'est dire le gouffre qui nous sépare.

Mais c'est peut-être cette joie à toute épreuve, cette résilience d'homme regardant toujours son enfant monstrueux dans les yeux, qui lui permet de concocter de si merveilleux repas.

Les parfums de cuisine déroulent leur arpège dans la maison. Mon père chef d'orchestre mène ses aliments à la baguette. *Cling clang toc toc toc psschhhht* – comme dans une pub pour huile de friture, les bruits sont parfaitement synchrones avec les odeurs et les saveurs qui me plongent dans une hébétude saliveuse. En contrepoint, mon ventre gargouille avec moins d'harmonie.

Je ferme les yeux et me laisse submerger dans son creuset d'alchimiste. Ici, dans cette cuisine, pendant ces quelques instants, plus de peur, plus de fureur, plus de haine de moi et des autres. Je suis une fille chérie et choyée ; le corps de mon père sait qui je suis, même si son esprit me croit double. Lorsqu'il me serre dans ses bras, il sait à quel point il doit les écarter pour m'enclore, pour m'inclure. Il connaît précisément le degré d'élasticité de ma peau. Il n'éprouve aucun dégoût, aucune honte. Il accepte sa volumineuse progéniture dans son absolu. Quand il me regarde, il voit mes yeux bruns, frangés de longs cils, il voit un petit nez droit et une bouche pulpeuse, il voit une chevelure souple et bouclée aux reflets moirés qu'il a l'habitude de laver et de soigner. Pas le triple menton, ni l'absence de cou, ni les bajoues, ni mon corps contrefait. Ni ce qui déborde et dégouline de moi, comme si j'étais faite d'une matière spongiforme. Il plonge le nez dans la jointure entre mon cou et mon épaule, me hume comme si j'étais encore un bébé au parfum neuf.

Quel est le plus grand acte d'amour que je puisse attendre de mon père ? Sa bouche sur ma joue, l'empreinte chaude y demeurant longtemps après qu'elle s'en est séparée. Ses doigts dans mes cheveux, redécouvrant leur densité et leur texture. Ses rires et ses taquineries qui m'offrent l'illusion d'une vie normale.

Enfin, j'abandonne ma colère et me laisse entraîner vers un univers sans aspérités, où la rondeur est reine. Un cocon que nous aurions tissé ensemble, araignées aimantes, tendres fileuses, et qui nous enveloppe dans les couches protectrices d'une ouate dense et organique, mystérieuse et bruissante, où le souffle torride du monde ne nous atteint pas. Contre le corps de mon père, j'oublie la tyrannie des regards, l'autocratie du look, la dictature des miroirs. Je suis telle. Je ronronne de joie en me retrouvant intacte, avec mon esprit critique, mon ironie, ma tendresse.

Car mon poids n'a pas eu raison de mon intelligence ni de mon acuité d'esprit. Je ne suis pas devenue une larve avachie et amorphe, vautrée dans ses exsudations. Je suis restée curieuse et avide de savoir, heureuse que mon cerveau ne soit pas assujetti à la gravité et me permette des voyages et des découvertes hors du plomb de mon corps, fière de savoir que ma matière grise parvient à absorber les connaissances avec tant d'aisance. Mince, j'aurais traversé les années scolaires avec brio, dépassé tous mes concurrents, rejoint une grande école ou une université prestigieuse. J'aurais fait partie de l'élite scientifique et intellectuelle et suivi un chemin sans doute déjà arpenté et qui ne m'aurait peut-être pas apporté le bonheur, mais qui m'aurait au moins permis de me faire une place parmi vous. Hélas, je suis lucide à défaut d'être mince : je suis obèse, donc, aux yeux des autres, déficiente en neurones.

Seul cet instant du jour m'offre l'illusion d'être un tout : corps et esprit. Mon père le comprend aussi. C'est peut-être pour cela qu'il n'éprouve aucune culpabilité à me nourrir de la sorte. Peut-être pense-t-il ainsi nourrir mon cerveau, contribuer à son épanouissement ? Peut-être est-il absurdement convaincu que, pour être un génie, il faut que le corps soit à la dimension de l'esprit ?

Quand le corps atteint de telles proportions, papa, c'est qu'il est entré dans un processus pathologique qui n'a rien à voir avec le développement du cerveau. Ma dilatation corporelle n'aura malheureusement aucune influence sur ses dimensions. Mais je ne peux m'empêcher, parfois, de me laisser séduire par ce raisonnement : et si l'évolution nous avait conduits à cela ? Si pour accéder à notre plus haut potentiel intellectuel nous devions d'abord pousser notre corps au-delà de ses limites ?

Ai-je entamé le processus vers cette étape supérieure de mes facultés, vers un nouveau stade de l'évolution humaine ? Toute l'énergie que je ne dépense pas irait donc directement nourrir mon cerveau ? Je serais sédentaire et géniale ?

Non : de telles illusions ne me sont pas permises. Je ne suis ni Einstein ni Stephen Hawking. Juste une obèse. Personne ne m'écoutera avec l'attention compassionnelle que l'on offre aux handicapés. Personne n'admirera ma vivacité d'esprit alors que mon corps tout entier la contredit. Une masse gélatineuse ne peut avoir de vérités à communiquer au monde. L'amibe prisonnière de sa mitose foudroyante n'a plus qu'à se terrer et à se taire.

Le plus grand don que mon père pense pouvoir me faire est celui de moi-même. Il veut me rendre l'amour de mon corps en le nourrissant. Mais à la fin, cela revient à une seule chose : il me fait don d'un élargissement dont je n'ai nul besoin.

Est-ce parce que son escarcelle est trop étroite pour l'excès d'amour que j'exige ? Je ne le crois pas. Il a au contraire un trop-plein de passion qui s'exprime dans tout ce qu'il entreprend, y compris la cuisine. D'ailleurs, il ne se contente pas de cuisiner, il écrit aussi des livres de recettes, qu'il rédige avec volupté. J'imagine ses lecteurs s'abîmant dans une rêverie sensuelle en lisant sa recette de brioche fourrée de pâte pralinée et de crème anglaise. Grand succès en librairie. Les gens se cultivent en cuisinant, savourent les mots autant que les plats. Ses livres lui rapportent plus d'argent que son travail d'architecte. C'est ce qui lui permet de se consacrer à moi et de nous offrir une vie confortable malgré les exigences croissantes de mon corps.

Est-ce ma faute s'il me concoctait à neuf mois des plats appétissants pleins de beurre et de sucre ? Il se moquait de ceux qui préconisaient de saines et saintes purées de légumes ou de fruits, puisque je dévorais ses plats, y compris ceux garnis de fromage bleu. Je ferai de mes filles des gastronomes en couches ! avait-il coutume de dire. Il démontrait à ses amis que, loin de refuser les aubergines ou les okras que tous les enfants détestent, je les mangeais avec le même appétit que les mousses au chocolat (noir) qu'il me préparait. Il n'avait pas compris que c'était parce qu'il en étouffait le goût et la texture en les gratinant de fromage ou en les faisant frire en beignets, et que je me livrais à la séduction organoleptique du fromage, du sel, du sucre et des épices. Toutes ces saveurs qui nous attirent et nous en veulent à mort.

Je me demande si, quelque part au fond de lui, mon père sait qu'il est responsable du bébé exponentiel, et si c'est pour cela qu'il a inventé le mythe des jumelles fusionnées. Dès lors, il n'y a plus eu de place pour ma mère dans notre trinité. Elle a vu avec horreur ce gavage organisé et elle n'a pu lutter, ni contre mon père ni contre moi : face à cet assaut, ma bouche a oublié la mémoire de son sein. Rien qu'un vide facilement rempli par mon père. Plus je prenais de la place, moins il y en avait pour elle. J'emplissais la maison sans lui laisser la moindre chance de survie.

Le bébé exponentiel n'avait de but que lui-même. Se construire, s'amplifier, cellule par cellule, et assouvir sa faim d'impossible.

C'est prêt, mes chéries ! déclare mon père.

J'ouvre la bouche pour dire « J'arrive », mais de ma gorge s'échappe un curieux borborygme. Un râle enfoui, un concentré de gourmandise lasse.

Non, pas seulement de gourmandise ou de faim. Il y a là quelque chose de différent, un son provenant d'une source plus loin que moi, une effusion ventrale et têtue, l'expression d'une nécessité absolue. C'est un instinct plus profond qu'un simple besoin de nourriture. Une exigence bestiale et vestigiale, venue de l'autre versant du temps, lorsque nous étions encore des créatures de la terre et du vent, à l'écoute des remous traversant nos organes, inconscients de ce qui nous forçait à nous acheminer vers un avenir où nous serions à la fois plus et moins, à la fois différents et profondément mêmes.

L'animal règne. Je ne suis rien d'autre. Mes illusions d'intelligence sont contredites par ce corps tout-puissant, la primauté absolue de ses exigences. Pourquoi devrais-je encore me leurrer ? Confrontons-nous à l'évidence : je suis la preuve que la volonté humaine est une aberration. Les addictions viennent si facilement à bout de notre résolution. Alcool, cigarette, bouffe, drogue, sexe, ce sont les excès qui nous excitent, qui nous passionnent. Sans eux, nous sommes de pâles effigies faisant semblant de vivre. Sans eux, nous passerions de la naissance à la mort comme des ombres qui n'auraient jamais connu le bonheur des délicieux interdits. Nous sommes la contradiction vivante de nos idéaux de sainteté et de santé. Nous ne sommes pas faits pour le jeûne ou l'abstinence, sauf comme forme de punition et d'autoflagellation. Et je ne suis pas prête à m'autoflageller.

Je m'extirpe du fauteuil, consciente que l'effort exigé est de plus en plus conséquent. Sur la table, le désordre des chips dont je me suis gavée sans même y penser. À quel moment sont-ils apparus ? Les ai-je moi-même apportés ou mon père les a-t-il posés là pour me faire patienter ? Dix sachets en plastique froissés gisent autour de moi. J'en ai avalé le contenu sans m'en rendre compte, et ils n'ont pas comblé ma faim. Mes mains sont poisseuses d'huile et de sel, ma bouche sèche, mes narines remplies de leur odeur vinaigrée et synthétique. Je frotte, lasse, mes paumes sur mon jogging.

Je me traîne jusqu'à la cuisine. Le tabouret est une montagne au sommet de laquelle je parviens à peine à me hisser. D'ici quelques semaines, ce sera au-dessus de mes forces. J'ai le vertige rien qu'à l'idée de me soulever et de m'y jucher. Je suis un énorme vaisseau tanguant sur un océan d'adiposité. Un de ces jours, je m'échouerai sur mes propres récifs. Les flancs troués, faisant eau de toutes parts, je m'effondrerai et ne pourrai plus me relever. Mon avenir se dessine avec une clarté insoutenable. Et pourtant, je ne peux lui résister. Je ne peux me résister. Les parfums exquis m'enveloppent de leur séduction mortifère. Je suis prisonnière de mes envies.

Papa fait sa danse domestique, un tablier à fleurs autour des reins.

Papa est beau. De ces hommes qui se bonifient avec l'âge, de ceux qui sont jolis garçons à vingt ans mais deviennent vraiment beaux à quarante et le restent toute leur vie. Avec un sourire dans les yeux qui fait s'entrechoquer le cœur des femmes de tous âges. De fait, ils n'ont pas à se préoccuper de leur apparence ; leur charme provient même de leur allure légèrement négligée, le chandail un peu usé, la chemise qui a trop vécu, le jean favori bâillant aux fesses qu'ils ne veulent pas abandonner.

Enfin, papa est résolument mince. Longiligne, fuselé, de très haute taille. S'il avait délibérément voulu me contredire, il n'aurait pu mieux choisir son apparence.

Comment ma mère et lui m'ont faite, je n'en ai aucune idée. Je ne connais pas l'aventure de mes gènes.

Je ne suis pas jalouse de la beauté de mon père, puisqu'elle n'appartient désormais qu'à moi seule (et à ma sœur semi-fictive). Je me doute qu'il doit avoir eu par-ci, par-là des aventures, mais jamais il ne ramène une femme à la maison. Peut-être a-t-il peur de la voir prendre la fuite dès qu'elle apercevra l'éléphanteau vautré dans le séjour ? Peut-être a-t-il, tout simplement, honte ?

Mais sa bonhomie n'est pas feinte, ni son amour. Je crois qu'avec moi, il y a déjà trop de Femme dans la vie de mon père. Je suis semblable à une divinité qui exige l'adoration exclusive de son unique dévot. Je suis la fille qui croit que son père n'aimera jamais personne d'autre qu'elle – et qui aura raison.

Il nourrit son énergie d'un optimisme dont la source m'est inconnue. La vie de papa n'est pas une sinécure. J'en conviens à chaque fois qu'il m'aide à me déplacer si je suis trop fatiguée, lorsqu'il fait le ménage et qu'il m'emmène au collège, au cinéma ou dans les magasins, lorsqu'il s'évertue à aplanir l'hostilité que ma corpulence ne manque pas de faire naître autour de moi. Il est mon bouclier, mon rempart, se portant en avant des regards, n'esquivant jamais les yeux qui se braquent sur nous, les affrontant au contraire avec une défiance calme comme pour leur dire : ayez le courage de me regarder moi, bien en face, au lieu de glisser vos yeux comme des couleuvres vers ma fille pour tenter de la saisir ; d'ailleurs, c'est inutile, elle sera toujours trop vaste pour votre petit cerveau, elle est superbe, magnifique comme vous ne le serez jamais, elle est bien au-delà de votre perception limitée des choses, vous qui vous pliez aux prescriptions des autres, même les plus absurdes, qui faites refaire votre corps parce qu'il vous faut des seins d'actrice porno, des fesses de vénus hottentote, des vulves plus lippues, des lèvres plus vulvaires, retournez-vous à l'envers et vous verrez le visage glauque de votre beauté si chèrement acquise, tandis que ma fille, elle, a tout cela sans avoir à baiser un bistouri ! C'est ce que disent les yeux de mon père, mon chevalier trop parfait pour mériter cela, et mon cœur se brise à le voir ainsi défier les regards et les ricanements, à absorber dans sa chair la violence des jugements, et je suis fière que nous soyons ensemble, que nous constituions cet équilibre invraisemblable, et qu'il comprenne si intuitivement, si instinctivement, si « maternellement », que c'est lui qui m'a faite et que je suis une part de lui.

Mais parfois je me dis que je suis une partie de lui comme une tumeur est un fragment du corps : une excroissance qui tue.

Je le regarde, fascinée, découper un ananas avec des gestes sûrs et raffinés et une concentration précise, dents mordillant sa lèvre inférieure, ombre de l'après-midi sur ses joues creuses, yeux jaugeant sans ciller la profondeur de la découpe. Il utilise le même couteau minutieusement aiguisé dont la lame a pris, au bout des années d'usure, une forme concave, presque de faucille. Après avoir ôté l'écorce dure, il enlève en diagonale les « yeux » qui ponctuent le corps de l'ananas. Il y découpe une tranchée en spirale régulière tandis que la chair jaune vif lèche ses doigts de son jus sucré. À la fin demeure un petit joyau à facettes dorées, couronné de vert, qu'il brandit triomphalement d'une main. Ainsi va la joie de mon père.

Après quoi il servira le festin qu'il a préparé ce soir : une grande assiette pour moi et une autre pour ma sœur. Il les posera toutes les deux devant moi. Je mangerai pour deux, obéissant au mythe qu'il a créé. Après un bref interlude, me voici de nouveau confrontée à mon double.

Lasagnes ou steak frites ? me demande-t-il. Je fais mine de réfléchir comme une comédienne de mauvais téléfilm. Le parfum qui émane des deux plats m'étourdit et me donne l'envie de me jeter dessus sans plus attendre, de tout saisir de mes mains et de tout enfoncer dans ma bouche dans une extase burlesque. Mais je me souviens à temps que je suis un être social.

Steak frites pour moi, papa, dis-je poliment. Il se sert une part de lasagnes et les remet au four afin qu'elles ne se refroidissent pas. Il s'assied, heureux, à mes côtés. Il étincelle, ange improbable. Je sais que le repas sera délicieux. Tout ce qu'il prépare l'est. Mais au moment de mettre dans ma bouche un morceau de cette viande tendre et fondante, crayonnée de fines lignes de gras, quelques gouttes de jus sanglant s'en échappant encore, explosion à la fois délicate et repoussante, une minuscule colère me saisit. Il me tue à petit feu, me dis-je.

M'aime-t-il vraiment ou attend-il que cette nourriture trop riche m'enveloppe le cœur d'une couche de graisse si épaisse qu'elle bloquera mes artères pour venir à bout de ce fardeau dont il n'a jamais voulu ?

Il est assis, là, le visage souriant ; l'air d'un gamin malicieux – facétieux. Une mèche de cheveux rebelle lui tombe sur le front. Il mange avec appétit, mais lui ne grossit pas. L'injustice du monde m'écœure. Je découpe un morceau de steak encore plus gros et l'avale avec rage. Les frites sont croustillantes et chaudes. L'énorme plat se vide en trois secondes. Un grand verre de jus de fruits frais me désaltère. Pourquoi ne me sert-il pas du Coca ? Cela m'achèverait un peu plus vite, non ?

Qu'y a-t-il, mes chéries ? demande-t-il. Vous avez l'air triste.

Papa…

Son regard est si innocent, son charme si implacable que je ne peux lui révéler mes soupçons.

Il me caresse la main.

Ne vous en faites pas, dit-il doucement. Tout ira bien.

Tout ira bien. Il me l'a toujours dit. Avec une conviction telle que je suis bien forcée de lui faire confiance. Père trop beau pour être vrai, le seul être qui m'appartienne. Il y a assez de haine autour de moi pour que je ne rejette pas ma seule source d'amour ! Car je ne peux douter de lui. Son visage est trop vrai. Ses yeux sont trop bons. L'amour affleure de ses pores. Je sais qu'il est fier de m'avoir créée. C'est la vérité. Sa vérité. Mes doutes s'évanouissent tandis que je mange, savourant les plats qu'il m'a préparés. Un peu de lui – et beaucoup de sa nourriture – entre en moi.

Après le steak, c'est au tour des lasagnes de ma sœur. Les rectangles de pâte faite maison sont presque transparents, mais non moins riches. Le fromage fort leur donne une saveur fermentée. La viande hachée, persillée, épicée, nappée de béchamel veloutée, gorge ma bouche. Toutes les parties de mon corps sont enfin assouvies. Je finis le plat. À la fin du repas, je suis rassasiée. Pour l'instant. (Sauf que ce n'est pas ma sœur, rôdant parmi les ombres, qui a englouti le plat, mais moi. Je la cherche du regard. Je la vois ou l'imagine, se regardant dans toutes les surfaces réfléchissantes, satisfaite de son allure de planche à repasser. Les aciers de la cuisine la découpent en tranches fines, en lasagne gémellaire.)

La cuisine est un havre et un enfer. Ses parfums étourdissent et exaltent les sens. Lorsque mes narines s'emplissent du fromage qui fond sous le gril, lorsque le gras de la viande s'en détache et mijote doucement, lorsque les frites grésillent et dorent, lorsque la pâte feuilletée de la tarte s'épanouit comme une fleur friable autour de son cœur de fruits et de frangipane, je revis. Et je suis terrassée par cette jouissance, par ces délices qui m'entourent et me capturent. Ce sont des mains sensuelles qui s'introduisent entre mes lèvres et font délicatement, puis furieusement jaillir une humidité saliveuse. La nourriture de mon père est mon éducation sexuelle.

Papa…

Oui, mes chéries ?

M'aimes-tu ?

Il se met à genoux devant moi, pose son visage anguleux dans mes paumes réunies.

Vous êtes mes divinités et je vous adore.

Répond-il.

Et je le crois.

Je grimpe lourdement l'escalier menant au premier étage, en m'aidant de la rampe. J'ouvre la porte de ma chambre. C'est une chambre de petite fille, mais je me sens vieille, si vieille. Les échos de mes pas ébranlent la maison. Ce n'est pas une petite fille mais un mastodonte qui vit dans cette pièce aux dentelles ridicules, dont les poupées Barbie se moquent de sa gaucherie.

Encore envahie par la rage, je saisis l'une d'elles, Barbie hôtesse de l'air, et je la broie dans mon poing. La matière plastique s'affaisse, Barbie prend des airs de squelette fondu et, folle de joie, je la jette à terre et plante mon genou sur son visage. Elle n'est plus qu'une chose amorphe et affreusement laide. Alors, Barb, lui dis-je, t'es pas contente d'être encore plus plate qu'avant ?

Je pose mes fesses sur son corps svelte et m'agite pour mieux l'écrabouiller. Lorsque je me relève, ô stupeur, elle reprend ses formes ! Son sourire est devenu ironique. Elle est assez fine pour que je me l'enfonce dans le derrière. Amère, je la jette à la poubelle. Je me souviens, toute petite, d'avoir joué avec elle et rêvé de sa taille menue, faite pour pouvoir porter cet uniforme seyant d'hôtesse de l'air. Mais pendant que je me dilatais, elle est restée figée dans ses mensurations ridicules, son sourire ignare, son absence de générosité. Pourquoi, dès lors, voudrais-je être elle ?

Au début, on ne comprend pas très bien. Comment le corps perd ses repères naturels et oublie la légèreté, transforme la lourdeur en présence amie. Comment il s'amplifie et se déforme au jour le jour sans qu'on y prenne garde. J'ai été, bien sûr, hors normes dès ma naissance. J'ai été toute ma vie une anomalie. Mais même si je savais que je ne serais jamais mince, comment pouvais-je deviner vers quels lieux extrêmes m'entraînerait mon corps ?

Je ne savais pas que je serais plus que *ronde*, *potelée*, *bien en chair, forte, plantureuse* – tous ces qualificatifs qui taisent l'adjectif cruel : *grosse*. Par la suite, le mot *grosse* lui-même est devenu insuffisant. Il a fallu en trouver d'autres : éléphantesque, gigantoïde, d'une hyperadiposité foudroyante, mon miroir de mots se tarissait trop vite pour que je puisse continuer à y être réfléchie.

Mon hypothalamus était en dysfonctionnement total. Il me dictait de manger même quand ce n'était pas nécessaire. Il faisait de la nourriture mon seul but et mon unique besoin. Je m'éveillais avec des images de paradis calorifiques qui m'inondaient les sens et ne me laissaient aucun répit tant que je n'avais pas assouvi mes envies et comblé le vide de mon estomac, tant que je n'avais pas offert à ma masse graisseuse quelques millimètres de plus d'un cadeau empoisonné.

Papa devait m'apporter mon petit déjeuner au lit, comme si j'étais encore ce bébé hurleur attendant d'être nourri. Omelette au fromage, œufs brouillés au saumon fumé, saucisses, bacon, croissants, viennoiseries, chocolat chaud, yaourt aux fruits, il fallait que ma chambre soit saturée d'odeurs, qu'elle se transforme en cathédrale de nourriture, en haut lieu de culte du gavage.

Papa avait une idée fixe : me déculpabiliser. Pour cela, il lui fallait faire comme si rien n'avait d'importance : ni son usine à nourriture, ni les mises en garde des médecins, ni le regard des autres, ni les vêtements qu'il fallait acheter dans des magasins spécialisés, ni ma terreur froide, face au miroir. Il avait depuis longtemps banni le pèse-personne. Il jouait à être le père de filles tout à fait normales, refusant de voir mon dandinement de plus en plus chaloupé, mon expansion horizontale, la pesanteur qui m'attirait irrésistiblement vers le bas. Il ne semblait pas comprendre qu'il n'y aurait pas de retour possible ; que le chemin emprunté était à sens unique, un sens déterminé d'avance, prévu et annoncé par tous les médecins qui prononçaient le mot

« morbide » sans mesurer l'affreuse brutalité de ces deux syllabes.

Pas même « obésité morbide ». « Morbide » tout court. Je l'étais. Ma vie l'était. Mon envie de nourriture l'était. Mon corps en déflagration l'était. Morbide j'étais et chaque jour le devenais davantage. Littéralement en processus de mort. Ce qui est certes le cas pour tout le monde, mais il n'y avait que moi pour le percevoir aussi clairement, pour le ressentir dans chaque repli et chaque boursouflure, pour le confronter dans l'amplification débridée de ma chair, chaque essoufflement, chaque étouffement, et à chaque fois que je me réveillais au matin après avoir rêvé que je périssais sous une enclume de fonte qui n'était que mon propre corps.

Je mourais de mon corps.

Morbide, assassinée en puissance, je suis parvenue à l'adolescence en étant devenue mon propre boulet, ma propre chaîne, mon cercueil.

Papa me disait que nous n'étions ni droguées ni alcooliques ni criminelles, que nous n'avions pas à avoir honte de ce que nous étions. Les drogués et les alcooliques et la plupart des criminels sont minces, papa. Mais il rit, me tenant le visage de ses mains effilées, aux os délicats. Regardez, regardez, ment-il, comme les courbes de ce visage sont belles, et ces joues faites pour être caressées, et cette bouche pour être embrassée ! Regardez, regardez-vous, mes chéries, tout ce qu'il y a en vous de splendeurs contraires aux maigrichonnes osseuses qui boudent sur les podiums !

J'aimerais bien être une maigrichonne boudeuse sur un podium, papa. Mais je sais qu'elles ne goûteront jamais à tes lasagnes !

Notre rire entrelacé est infiniment doux et pareillement mensonger.

Je m'endors en rêvant de cascades de gruyère fondu comme d'un niagara voluptueux. J'ouvre la bouche en grand et il s'y engouffre. Il se rassemble en moi comme un enfant recroquevillé.

La nuit, je pleure en rêvant de nourriture. Le matin, je me réveille, pleurant d'être affamée. Les repas sont l'horloge de ma déchéance. Dehors, le monde s'agite, bouge, galope, s'écroule. J'ai envie de le découvrir avant qu'il ne soit trop tard, mais de plus en plus, je n'ose sortir, n'ose aventurer ma carcasse à l'extérieur, m'exposer au jugement qui m'attend. Aller au collège est devenu une épreuve au-delà de mes forces. Les ricanements, les quolibets, le mépris total et brutal des gamins de tous les âges, unis dans une même dérision, loin de devenir familiers, sont une chape métallique qui m'écrase davantage que mon propre poids ; ils coupent un pied de ma chaise pour que je m'écroule, collent du chewing-gum usagé dans mes cheveux, enduisent de Super Glue le sol autour de ma chaise pour que je ne puisse plus bouger. Chaque fois que je mange, ils imitent les bruits du cochon. Tout cela abondamment relayé sur les réseaux sociaux qui ne dorment jamais, qui ne s'interrompent jamais, qui ne pardonnent jamais, et dont l'enflure mortelle serait pareille à la mienne si elle ne lui était aussi résolument hostile.

Rien que l'habituel. Rien qu'une torture. Je ne peux pas me battre, puisque je le mérite. Fallait pas être si grosse, ma vieille.

Que puis-je offrir de moi qui ne serait source d'opprobre ? Malgré ce qu'en dit papa, tout en moi est digne de ce dédain.

Je te l'ai dit, ce n'est pas entièrement ta faute, me console sœurette. Ton surpoids est ma manière d'exister. Quand j'ai vu que tu me coinçais contre les parois de notre existence commune jusqu'à ce que je ne puisse plus bouger, ni m'alimenter, ni grandir, quand je me suis vue me dissoudre, happée par une terrifiante invisibilité, j'ai compris qu'il me fallait agir. Bientôt, trop vite, après mon court passage dans la vie, juste le temps de comprendre tout ce qu'elle m'offrait de possibilités, d'espaces autres, de liens matériels et immatériels à tisser, de visions séductrices qui nous venaient de notre mère, à peine ayant entrevu tout cela, j'étais réduite à rien. C'était toi, ma grande, ma belle, ma sublime sœur, qui t'épandais ainsi, inconsciente de ma lutte, ignorante de mes attentes.

Je l'admets, tu ne t'en rendais pas compte. Tu faisais partie des espèces conquérantes. Mais je t'en ai voulu de m'interdire. Je t'en ai voulu d'usurper ma part de vie. Aussi, pour ne pas disparaître, me suis-je rattachée à toi.

Je me suis confondue en toi, détraquant ton ADN, qui s'est alors acharné à fabriquer un corps pour deux.

Nous nous sommes mutuellement condamnées à notre apoptose – notre mort programmée.

Je souris à sa tentative de m'expliquer pourquoi je suis telle. Je souris, parvenue bien au-delà de sa consolation. La mort programmée est mon destin. C'est ainsi.

Par toutes les fibres, par toutes les cellules, reprend-elle, je me suis mise à t'habiter pour faire partie de tes aventures, de ta découverte de ce monde infini qui nous attendait hors du ventre maternel. Des voyages impossibles.

Ma jumelle ne comprend pas qu'il y a ceux pour qui l'idée même du voyage tient de l'impossible.

Partir n'est pas une éventualité. Le bitume de l'ici nous encastre. La vie nous a figé les pieds dans un bloc de béton et notre corps a beau tanguer, jamais nous n'aurons le mal de mer puisque la mer nous est interdite. Mon imagination avait beau me faire miroiter des espaces inconnus, il m'était impossible d'y croire. J'avais fini par me faire une raison.

Mais pour mes quinze ans, papa a voulu m'offrir ce voyage dont je rêvais depuis si longtemps et que je n'espérais plus. Je ne sais quelle inspiration subite l'a saisi. S'est-il réveillé un matin en comprenant que les murs de la maison se resserraient autour de moi au point où je ne pourrais bientôt plus en sortir ? S'est-il dit qu'il m'offrait le large et ses embruns, l'inédit du monde et l'euphorie d'une rébellion ? Il n'avait pourtant aucune idée de ce que j'imaginais être le voyage idéal.

Il a fait les réservations sans rien me dire. La veille, il m'a dit : Demain matin, mes chéries, nous prenons l'avion !

Quelle glorieuse sensation ! Mon imagination longuement réprimée a redémarré au quart de tour, m'entraînant en quelques secondes à Oulan-Bator, sur l'île de Guam, en Laponie, à Formose, au Timor, en Patagonie du Sud, sur les îles Andaman, dans la forêt amazonienne, bref, toutes sortes de destinations improbables qui me permettraient de vivre ce que le commun des mortels ne vit que rarement. Je ne voulais surtout pas être une touriste ordinaire. Ou plutôt, je ne le pouvais pas. Alors, je serais une touriste extraordinaire, de ceux qui vont sur les volcans et dans les dunes, bravant l'hostilité de la nature pour mieux comprendre le danger de sa beauté.

Que n'aurais-je fait pour sortir de moi-même ! J'aurais accepté toutes les fatigues d'un corps trop peu habitué à tout type d'exercice, je l'aurais traîné, mue par ma seule volonté, sur les coteaux et dans les combes, j'aurais surplombé de ma masse la gueule des volcans, quitte à y basculer. Aurais-je pu rêver de plus belle fin ? Oui, j'aurais poussé mon corps jusqu'au bout de ses capacités, jusqu'à la limite du supportable, mais au moins aurais-je alors vécu le monde tel que peu le vivent, exploré les confins, marché dans les pas des aventuriers, trouvé les racines qui ancrent la terre à ses énigmes. Pour une fois, je ne serais pas remarquable par mon apparence mais par mon accomplissement. J'aurais fait mentir ceux qui me condamnent à l'attente passive de ma disparition, à être une parenthèse de laideur vite oubliée dans la beauté du monde.

Toute la nuit, sans dormir, j'ai rêvé de voyages. D'une conquête enfin possible. Je me suis levée à minuit pour faire mes bagages. C'était vite vu, joggings XXXXL et sweats du même calibre, chaussures de marche et bottes de pluie, tout pour pouvoir affronter les climats les plus divers. Mais à la lumière de mes attentes, mêmes ces fades tenues acquéraient des couleurs et des promesses. Mes chairs en tremblaient d'anticipation. Enfin, un rêve était à ma portée et non cadenassé par l'inconcevable.

Au matin, nous nous sommes rendus à l'aéroport. Encore somnolente, j'ai été surprise de découvrir, depuis la voiture, les étranges métamorphoses de la ville. Comme si je m'étais endormie pendant des siècles et me réveillais dans un monde changé : des murs hauts autour des maisons, des tags haineux, des barbelés, des militaires patrouillant dans les rues, des pancartes indiquant « propriété sous surveillance armée » ; mais, plus que cela, une impression de désagrègement. J'étais sidérée. Jamais les bâtiments ne m'avaient paru aussi ternes. Les espaces publics étaient remplis d'immondices. Un quartier jadis florissant était devenu un bidonville où des gens au regard immobile traînaient, désœuvrés. Deux kilomètres plus loin, des tours de verre s'élevaient, neuves et brillantes, abritant des appartements de luxe, des commerces, une clinique privée, des salles de gym et de cinéma. Une pancarte publicitaire vantait la vie autarcique ainsi offerte. Message subliminal : mieux valait désormais se barricader. Il me semblait qu'une jungle de terreur avalait la ville. Le monde n'était plus reconnaissable. Le chaos avait entrepris son œuvre et il progressait plus vite qu'on ne le pensait. Où était passée la ville souriante de mon enfance ? Les armées de jardiniers soignant chaque pétale et chaque feuille jusqu'à ce qu'ils soient lustrés et dodus comme des lèvres d'enfant ?

La ville, comme le monde, s'était fracturée en deux. De l'autre côté des barbelés, des yeux immenses et sombres où l'on devinait des désirs de violence nés de l'impuissance, le reflet d'une pierre serrée dans une main. Et à l'intérieur des murs, les retranchés, aussi captivés que moi par un gavage d'une autre sorte, celui du superflu qui leur donnait l'illusion d'être vivants.

Préoccupée par ma seule personne, j'avais cessé de m'intéresser au monde. Voyant la laideur de ce gris, de ces murs, de ce luxe artificiel, je n'avais guère envie d'en faire partie. Rien ne m'attirait plus, sauf les grands ailleurs. J'étais le miroir de la ville. Je grossissais ; elle se dégradait. Nous étions dans un processus à la fois symétrique et semblable. Je ne pouvais m'empêcher de la voir à travers la loupe déformante de ma tristesse.

J'ai compris que ce serait là ma dernière chance de partir. Les grincements du monospace quand j'y entrais me le prouvaient bien. La ceinture de sécurité était tirée à son maximum. L'ordinaire me rejetait.

À l'aéroport, les gens se bousculaient comme s'ils allaient accomplir leur ultime voyage. Certains semblaient vouloir s'en aller pour de bon, traînant des montagnes de bagages. D'autres partaient en vacances, les dents serrées, déterminés à être heureux. Les mères criaient après leurs gosses indisciplinés qui déboulaient à toute vitesse sur leur valisette à roulettes sans faire attention aux autres voyageurs, les pères suaient en vérifiant pour la quatorzième fois les étiquettes sur leurs sacs et leurs billets électroniques, tous s'arrachaient les cheveux face à une borne qui leur donnait des instructions auxquelles ils ne comprenaient rien. La borne ne reconnaissait ni leur passeport ni leur carte de crédit, ils entraient le mauvais numéro d'enregistrement, il fallait recommencer. La queue s'allongeait, de plus en plus nerveuse.

Pour les éviter, nous nous sommes présentés à l'unique guichet où se trouvait une personne et non une machine. Grossière erreur. La jeune préposée a esquissé un sourire de circonstance, m'a regardée, et a pâli. Elle s'est penchée vers papa.

Combien pèse-t-elle ? a-t-elle demandé à voix basse.

Moi, tout sourire aussi, je l'ai regardée dans les yeux pour refuser cette phrase. Pour retenir encore un peu mon rêve derrière mes paupières, l'y amarrer, l'y ligoter, afin que l'idiote trop maigre avec son chignon lisse ne puisse me l'interdire.

Combien pèse-t-elle ? Car je ne suis pas là, n'est-ce pas ? On ne peut pas me la poser à moi, cette question, puisque je suis sourde, muette et lobotomisée tout autant qu'obèse.

Je regarde papa, qui est mon dernier salut sur la terre de mes aventures.

Il s'est redressé de toute sa hauteur.

Cela n'a aucune importance, a-t-il rétorqué.

Elle a encore pâli, a mordu ses jolies lèvres peinturlurées et lui a dit d'attendre. Elle est partie, entraînant son chignon raide et sa perfection de Barbie trentenaire. Ses fesses empaquetées dans une jupe étroite ont fait une petite danse de refus. Je me suis imaginée, écrasant son corps trop parfait sous mes propres fesses. Reprendrait-elle aussitôt ses formes, matière pneumatique et aussi artificielle que son sourire ? Cela m'a consolée, en attendant.

Entre-temps, les autres passagers avaient réglé leurs problèmes informatiques et filaient vers les portes d'accès. Lorsqu'ils étaient en surpoids – de bagages –, on leur demandait de payer le surplus et on les accueillait comme les gens normaux qu'ils étaient. Beaux, moches, gros (mais pas obèses), maigres, petits, grands, peu importait – ils n'étaient pas moi. L'avion ne s'ébrouerait pas d'horreur en les recevant dans son ventre. Ils ne risquaient pas de le faire pencher d'un côté. Seule, je représentais une menace.

Certains passagers glissaient vers moi un regard horrifié ou apitoyé. Papa bouillait de colère. Les avions partaient, partaient. J'étais clouée au sol. Arrimée. J'avais envie de m'allonger par terre et de hurler. De faire un violent caprice de gosse – de grosse.

Finalement, un haut gradé de la compagnie d'aviation est apparu. Il nous a emmenés dans un bureau. Il s'est mis à discuter avec mon père. Je ne l'écoutais plus : je venais de comprendre que nous allions à Londres.

À Londres ! C'était donc ça, sa surprise d'anniversaire ? Que pensait-il m'offrir à Londres que je ne pouvais connaître ici ? J'avais imaginé un ailleurs qui me rendrait le droit d'être telle qu'en moi-même, où ne régnerait pas la dictature de la minceur, et il voulait m'emmener là où tout n'est qu'apparence ? À Londres !

L'aventure serait d'être transportée dans le métro comme un paquet volumineux, enfoncée dans un taxi qui tanguerait lorsque je m'assoirais sur la banquette sous le regard furieux du conducteur, d'être transbahutée de musée en théâtre sans pouvoir en profiter parce qu'il me serait impossible d'ignorer les yeux braqués sur moi, leur jauge, leur inventaire. La ville défiait la gravité en prenant le ciel d'assaut ; qu'y ferais-je, moi qui menaçais de m'enfoncer sous terre ?

L'aventure serait d'être emmenée sur la grande roue du London Eye après avoir affronté l'œil inquiet de l'opérateur, qui calculerait mon poids pour décider s'il pouvait me laisser monter ou pas ; puis celui des gens derrière moi qui se mettraient à murmurer avant que la file d'attente ne se disperse, personne ne voulant prendre le risque d'être mes compagnons de chute depuis les cent trente-cinq mètres de son point le plus haut et ce, malgré la tentation de ce bref survol de la ville ponctuée de gratte-ciel. À leur place, je ne risquerais pas non plus ce plongeon.

L'aventure serait, surtout, d'avoir envie de réintégrer au plus tôt ma tanière pour ne pas être exhibée et exposée à la honte qui perfore ma chair.

Papa ne s'était-il pas posé la question de savoir quel cadeau d'anniversaire me ferait vraiment plaisir, et ce que j'attendais de l'ultime voyage qu'il me serait possible de faire avant d'être immobilisée à jamais ?

Il s'est mis à discuter avec le directeur, qui tentait de le persuader de payer deux places pour moi.

J'ai fermé les yeux et j'ai pensé une dernière fois à mes volcans, à mes chutes, à mes espaces inconquis. Mes niagaras d'impossibles. La terre m'a offert encore un peu de son magma, de sa splendeur, de son faste, de sa terreur. Je me suis imaginée, vaste comme elle et sans retenue, faite de métal et de sang. Aux côtés des géants de l'île de Pâques, je serais aussi devenue une géante à ma façon. Avec les tortues des Galapagos, j'aurais partagé l'épaisseur de leur carapace et la même vieillesse placide. Les vers de Cendrars me sont revenus à l'esprit :

Nous avions volé le trésor de Golconde
Et nous allions, grâce au Transsibérien, le cacher de l'autre côté du monde
Je devais le défendre contre les voleurs de l'Oural qui avaient attaqué les saltimbanques de Jules Verne
Contre les khoungouzes, les boxers de la Chine
Et les enragés petits mongols du Grand-Lama

Pas plus que Cendrars, les enragés petits mongols du Grand-Lama ne m'accueilleraient de leur regard furieux, brandissant leurs lances. J'ai retenu mes larmes en leur disant adieu. Je ne serais jamais une exploratrice bravant son propre physique autant que les éléments, louée pour ses exploits, ni un Edmund Hillary, ni un James Cook, ni une Alexandra David-Néel, qui étaient allés plus loin que l'horizon. Je craque une allumette pour incendier mes rêves d'un jour.

Mais enfin, monsieur, regardez-la ! s'est exclamé le directeur.

Il me toisait à présent directement, contemplait, avec stupeur et incrédulité, mes débordements, tentait d'évaluer mon poids, faisait de moi un objet repoussant dont il lui fallait se débarrasser à tout prix. Pas de ça dans son avion ! Mes cuisses prises dans un legging noir s'écartaient devant lui. Ses yeux cillaient, des perles de transpiration lui faisaient une petite moustache nacrée. Sur son bureau la photo d'une femme mince et d'enfants maigrichons lui souriait. Lui, plutôt bedonnant, se sentait soudain svelte ! (Effet salvateur de ma présence.) Une auréole d'abstinence se dessinait au-dessus de sa tête chauve.

Vous comprenez, monsieur…

C'est ça, tente d'amadouer mon père pendant que je fulmine de rage. Ne t'imagine surtout pas que j'aie une quelconque sensibilité qui pourrait être heurtée par ton refus et ton obstination à ne pas me parler directement.

Finalement, je me suis levée.

Ça suffit, papa, on s'en va, ai-je dit.

Mon père m'a regardée d'un air perplexe. Nous sommes partis. Nous sommes rentrés à la maison. Je ne lui ai pas adressé la parole pendant tout le trajet.

Une fois que je me suis couchée, il est venu dans ma chambre. J'avais le visage tourné vers la fenêtre, insensible aux étoiles qui me faisaient de l'œil.

Pourquoi n'avez-vous pas insisté pour partir ? a-t-il demandé. Il aurait fini par capituler, ou alors j'aurais payé vos deux billets, ce qui aurait été normal pour mes deux filles. C'est moi qui ai eu tort d'essayer de tricher et de vous faire passer pour une seule personne ! Nous aurions pu partir…

Arrête, papa, ça suffit… Je n'avais pas envie d'aller à Londres. Et puis, toute cette expérience m'a montré la futilité de mes rêves. Je sais bien que même si tu m'avais emmenée en Patagonie du Sud, j'aurais été incapable de faire le chemin jusqu'aux lieux magiques que j'aurais voulu explorer. J'aurais été plus à ma place dans l'univers de Swift. Le voyage se serait mal terminé, de toute manière. J'ai été bête. Je t'en veux, mais je m'en veux davantage.

Voilà ce que je lui aurais dit, si je ne l'aimais pas autant.

Quelque chose se casse, ce soir-là.

Il ne comprend pas que la civilisation qui m'a créée me perçoit comme un parasite dont elle doit se débarrasser, que la tentation des nourritures terrestres semble être, pour ceux dont le métabolisme diffère du mien, un examen de la volonté humaine, auquel j'ai pitoyablement échoué.

Alors, comment lui dire dans quel « ailleurs » j'aurais enfin pu être moi ? Et puis, est-ce bien vrai ? Y a-t-il un ailleurs pour moi ? Mes chairs flasques et spongieuses reposent tristement, comme des méduses harassées. Au centre, je suis celle qui rêve d'explorations. Autour, je suis une constellation anéantie.

Il m'a regardée avec une sorte de tristesse et de regret, et il est parti.

Anchorage, Kamchatka, Guam, l'île de Pâques… Les voyages impossibles. Londres lui aurait permis d'aller dans les meilleurs restaurants et d'assouvir son besoin de culture. J'aurais été son ombre gigantesque. Ce cadeau n'était pas le mien.

Ce jour-là, ma foi en son amour a été ébranlée. Mais c'était le seul que j'avais.

Tu n'es pas seule.

Je me réveille en sursaut.

Le lit de ma sœur, non loin, grince sans personne dessus. Un bruit furtif, à peine un gémissement.

Tu n'es pas seule, dit le murmure d'une absence emplissant ma chambre de son eau morte.

Je m'enfonce sous la couette. Pas elle, pas maintenant, qu'elle me foute la paix, je n'ai pas besoin de toi, laisse-moi cuver ma tristesse ! De rage, je me lève et me jette sur son lit. Il craque sous mon poids, mais elle continue de parler :

Cesse de refuser l'évidence. Je peux t'aider à trouver la paix, à négocier une trêve avec toi-même. N'as-tu pas envie d'être comme avant, lorsque nous étions ensemble, dans –

Je me bouche les oreilles. Je ne veux pas d'une jumelle invisible tirée d'un film d'horreur pour me débiter des insanités. Je ne demande que des amis normaux pour m'offrir une vie moins ravagée par la solitude.

Pourquoi as-tu tant besoin des autres ? demande-t-elle. Nous ne sommes qu'un assemblage de solitudes. Regarde, regarde : dans les rues, dans les métros, dans les voitures ou à pied, chacun parle à ceux qui ne sont pas là. Pourquoi ne me parlerais-tu pas, toi aussi ?

Effectivement, ai-je ricané, n'importe qui se réjouirait à cette idée ! Tout ce que je veux, c'est exister un peu. N'être ni trop visible ni invisible. Mais plus je prends de la place, plus je disparais aux yeux des autres, parce qu'ils n'ont plus qu'une idée : m'effacer. Peux-tu m'aider à résoudre ce paradoxe, jumelle indésirable ?

C'est mon propre paradoxe que tu viens de décrire, dit-elle. Sauf qu'il n'y a qu'une personne qui souhaite m'effacer : toi.

Sa silhouette filiforme danse au-delà de ma préhension, flotte là où je m'enfonce, pirouette là où je m'affaisse, s'élève là où je m'enlise.

Car elle est, bien sûr, mince. Voire maigre. Anorexique, comme se doit de l'être mon double.

J'ai toujours eu l'impression de la deviner dans les jeunes filles qui défilent sur les podiums de haute couture et qui s'étirent et languissent en petite tenue et os saillants dans les pages des magazines. Elle est celle qui s'allonge sur des voitures rouges à la télévision, celle qui grimpe aux cordes en s'y agrippant de ses jambes interminables, celle qui se dévêt sous un souffle d'air pour révéler sa taille mince, ses fesses lisses, ses seins aux rondeurs factices, autant de formes imaginaires imposées partout ; elle est l'image d'une nouvelle autocratie – et pourtant il me semble que son regard m'implore de la libérer.

Je te comprends, ma sœur. Je sais ce que tu subis. Ta minceur est une dictature autant que mon surpoids ; si tu prends deux kilos de plus, ta vie n'est plus la même, tu souffres de n'être pas conforme à la perfection que ton cerveau enfiévré réclame pour exister, tu hais ton image autant que moi, et tu dois souffrir pour te plier à une aune impossible ; car rien de toi n'est à la mesure de tes attentes, et tu auras beau peser quarante kilos, ce ne sera jamais suffisant, ton squelette sera encore trop lourd. Une pauvre couche de chair que tu peux pincer ? Désastre ! Comment en venir à bout sauf en te privant de tout, nourriture, alcool, desserts, paresse, ma pauvre sœur, si tu savais, si je me contentais d'être la moitié de ce que je suis, je serais toujours le double de ce que tu es.

En réalité, ma jumelle est tout aussi prisonnière de sa chair.

Nos miroirs contraires nous livrent le pire de nous-mêmes. Rien ne suffira à notre soif d'être autre. La seule différence est qu'elle existe sans exister, elle se nourrit du rien, elle aspire l'âme de ce que je consomme tandis que j'en absorbe, moi, la matière. Elle maigrit aussi inéluctablement que je grossis. Et, tandis qu'elle disparaît dans son éther, je m'enlise dans mes déchets. Elle, aérienne ; moi, condamnée à la pesanteur.

Je suis l'apogée de vos excès. Celle qui explosera pour montrer aux hommes qui ont eu la chance de naître du bon côté combien la nourriture est leur nouvelle divinité. Quand avons-nous cessé de nous nourrir simplement pour survivre ? Quand avons-nous découvert ces saveurs et ces substances qui nous obsèdent et nous condamnent ? Quand notre monde s'est-il mis à tourner autour de notre alimentation ? Le sybaritisme comme suicide volontaire. Ce qui nous empoisonne est ce que nous désirons le plus passionnément, le plus violemment.

Puisqu'il n'y a plus d'idéaux, autant se livrer à tous nos vices innocents, même s'ils nous tuent à petit feu. Aux autres la charge de changer le monde, quitte à en laisser la responsabilité aux terroristes et aux nihilistes. Pas de révolution sans guillotine. Chacun suit son chemin étroit, sans comprendre tout le danger qu'impliquent la renonciation, le refus, l'indifférence.

Tournez, tournez, restaurants, cafés, étals, marchés, cuisines et cuisiniers : un jour le magma réprimé par l'enveloppe de votre chair jaillira en un charnier aussi inattendu qu'universel – tandis que d'autres populations du monde disparaîtront, elles, dans le dénuement total. Même mouvement paradoxal, même loi de la conservation de l'énergie, les déséquilibres s'ajustent, comme ma jumelle et moi, les excès et les manques doivent être égaux, notre jeu inhumain n'aurait pas de sens sans cela, le trop-plein et le vide, dégueulement et absorption, obésité et anorexie, maladies d'un siècle sans repères autres que l'annihilation sous toutes ses formes.

Tu es en verve, ce soir, dit-elle, ironique.

Une verve lasse, sans doute, quand on ne peut plus rien bouger d'autre que son cerveau. Ce muscle-là, au moins, n'est pas atrophié.

Je sais que nos conversations imaginaires ont fini par prendre trop de place dans ma vie. Elle me fait miroiter une autre possibilité, celle où nous serions toutes les deux nées, normales et fusionnelles mais pas fusionnées, où nous aurions été de vraies sœurs, de vraies compagnes, et elle une vraie femme, non une illusion qui m'entraîne là où je ne dois pas aller. Vers une solitude hantée.

Vautrée dans mon lit qui se creuse de plus en plus, si bien que mon père doit en changer le matelas tous les trois mois, je pense à ce voyage raté et à tous ceux que je ne ferai pas. Si je déborde de mon lit, comment puis-je espérer tenir dans un siège d'avion de plus en plus étroit ?

Je me mets à rêver aux alternatives. Papa pourrait m'offrir deux fauteuils de première classe… Ou aura-t-il trop honte de moi parmi ces gens riches et minces qui me regarderont comme une bête de foire malsaine ?

Pourquoi pas un jet privé, tant que nous y sommes, où nous n'aurions à subir aucun regard torve ?

Avec une énergie furieuse, je tape du pied sur le plancher pour qu'il vienne me voir. Il accourt.

Qu'y a-t-il, mes chéries ?

Papa, aurais-tu assez d'argent pour louer un jet privé ?

Un *jet* ? couine-t-il.

Je crois que c'est la seule façon pour moi de voyager, désormais.

C'est la première fois que je vois mon père aussi défait. Son visage se transforme, perd son habituelle luminosité, devient grisâtre. Je vois en un instant toutes les pensées qui lui passent par la tête, comment me dire oui, comment m'accorder cet ultime cadeau, et comment me dire que, non, il n'a hélas pas autant d'argent, comment se défiler sans répondre comme il le fait de plus en plus souvent. Il regarde par la fenêtre, par terre, au plafond, partout où il ne me verra pas. Enfin, il me dit :

Je ne suis pas assez riche, ma chérie.

Pour une fois, il s'adresse à moi seule. Il a oublié ! Dans sa confusion, il a oublié de jouer le jeu ! Petit triomphe. Je jette un coup d'œil en coin vers ma jumelle, dont la présence faiblit. (Je comprends que lorsque papa n'est plus conscient d'elle, elle s'estompe et disparaît.)

Mais tu gagnes beaucoup d'argent avec tes livres de cuisine !

À nouveau, il semble acculé et perdu. Enfin, il me prend la main.

Chérie, nous avons beaucoup de dépenses, au jour le jour. Ce n'est pas si simple.

Je sais. Il doit acheter des tonnes de nourriture pour l'éléphanteau, et toujours du meilleur. Mon père homard-caviar-truffes me nourrit tant pour satisfaire ma panse insatiable qu'il ne doit plus rien lui rester ensuite. Peut-être même pas pour ses loisirs à lui. Effectivement, notre voiture date de plusieurs années déjà. Au fur et à mesure, il en a retiré les sièges pour me faire de la place.

Papa…

Oui, ma chérie ?

Nous t'aimons.

Son visage se froisse comme celui d'une poupée de chiffon. Je lui ai rendu sa fierté. Et par la même occasion abandonné la mienne. Mais qu'importe ! Je lui dois bien ça.

Pour le jet privé… Je plaisantais, tu le sais bien !

Oui, mes chéries.

Lorsqu'il s'en va après m'avoir embrassée sur le front, je vois son dos courbé et ses épaules affaissées, et je comprends qu'il est très bon acteur.

Il se bat chaque jour contre ce qu'il sait être l'inévitable, contre sa propre rationalité, déclare ma frangine. Il est prêt à tous les sacrifices pour nous.

Non. Pas pour nous. Pour moi, comprends-tu ? Pour moi et moi seule !

Dans ce cas, c'est une lutte perdue d'avance, murmure-t-elle, revancharde.

Étrange processus que celui de l'obésité. Une fois enclenché, il s'accélère sans que l'on puisse faire quoi que ce soit pour l'interrompre. Un temps, je suis allée de médecin en kiné (mes muscles doivent être entraînés au marathon perpétuel que représente la charge de mon poids), mais à chaque visite, le constat est le même : échec total de toutes les méthodes.

La chirurgie bariatrique est une option que tous nous proposent, mais seulement envisageable après mes dix-huit ans. Papa est encore plus terrifié que moi à l'idée qu'on pourrait m'enlever un bout d'intestin ou réduire la taille de mon estomac, ou encore que l'anesthésie tourne mal, que sa fille entière soit une fille diminuée ou effacée par le miracle de la science.

Papa se précipite sur Internet et traque les risques qu'entraîne chaque procédure :

Options multiples de la chirurgie bariatrique : dérivation gastrique avec anse de Roux en Y, gastroplastie verticale calibrée, anneau de gastroplastie ajustable, dérivation biliopancréatique avec gastrectomie pariétale, by-pass jéjuno-iléal, agrafage gastrique – autant de mots grotesquement menaçants signifiant une réduction de la taille ou carrément l'ablation d'une partie de l'estomac ou du tractus intestinal pour t'empêcher de te goinfrer, ma vieille, et toutes sortes de manipulations qui ressemblent à une envie toute simple de sectionner des parties de ton corps, de te débiter en morceaux pour t'arrêter de grossir. Morbidité allant jusqu'à 14 %. Complications : sténose stomacale, œsophagite aiguë, obstruction intestinale, complications respiratoires, risques de séquelles psychologiques, de suicide, etc.

Sur son ordinateur, des images atroces défilent. Corps excavés, organes mutilés, l'intérieur de ce mystère qu'est le physique humain exposé à son regard consterné. Sur YouTube, il assiste, comme s'il y était, aux interventions chirurgicales : en gros plan, des instruments métalliques s'immiscent dans les amas de graisse, les écartent, découvrent des organes aux couleurs étranges dont on ne s'imagine pas qu'ils font partie de nous, puis les excisent, les découpent, les suturent. Aucun film de science-fiction ne saurait restituer l'étrangeté de notre propre corps. Aucun film d'horreur non plus. Jamais on n'a aussi bien vu ni su ce qui nous attend. Jamais on ne s'est aussi bien menti : car cette avalanche d'informations contient tout et son contraire, sur le même plan, comme la même vérité.

Papa s'arrache les cheveux. Qui croire ? Comment réagir ? Qu'est-ce qui nous tue ? J'ai envie de lui dire que c'est nous qui nous tuons, papa, c'est aussi simple que ça, pas la peine de faire autant de recherches, mais les images glissent encore, interrompent son sommeil, tard dans la nuit ses recherches le mènent vers les recoins les plus sombres, des histoires de mutilations, d'obèses pourrissant lentement de l'intérieur après de telles opérations, d'éclopés découpés haletant jusqu'à leur dernier soupir. L'horreur l'étouffe.

Il explore la quatrième dimension que constitue le monde virtuel, là où se terrent toute la connaissance et toute la méconnaissance. Aucun filtre. Chacun y plonge son épuisette et en sort ce qu'il désire. Jamais encyclopédie n'a été plus vivante, plus représentative de nos travers et de nos qualités. Papa ne comprend pas que nous sommes programmés pour croire à ce qui est écrit. C'est ainsi que les religions nous ont bernés. Et l'image est venue consacrer la parole. Désormais, la persuasion est une affaire d'octets et de pixels.

Lorsqu'il revoit les médecins, il leur énumère les complications possibles. Il est imparable, il sait tout, il leur soumet des arguments qu'ils ne peuvent réfuter, il pose des questions auxquelles ils n'ont pas de réponse, parce que bien sûr il y a des risques, bien sûr tout cela constitue une invasion terrible du territoire physique, bien sûr rien de tout cela n'était prévu à l'origine et ce traumatisme intérieur ne peut être sans séquelles, mais comment faire autrement ? Ces informations ne sont pas fiables, disent-ils, énervés. Nous avons fait des années et des années d'études, ce n'est pas pour rien !

Vous ne pouvez prétendre acquérir toutes nos connaissances en parcourant des sites Internet ! Il leur oppose des articles publiés par des experts dans les revues spécialisées et même des thèses de doctorat. Comparez-les au risque que court votre fille si vous la laissez telle ! répliquent-ils.

Il n'est pas convaincu. Moi, je m'en fous. Mourir de gonflette alimentaire ou en me faisant sectionner les organes, le choix m'indiffère. Je crois que je préfère manger pour mourir. Être charcutée, soumise à un jeûne forcé, maigrir en me retrouvant revêtue d'une peau trop large qui pendouille autour de moi en longs pans rosâtres comme dans une peinture de Dalí, et finir aussi repoussante que lorsque j'étais grosse... Je préfère une vie brève, mais assouvie.

Nous sommes tous deux d'accord pour refuser le jeûne. Il ne s'imagine pas cesser de me nourrir. Je ne peux pas rester une heure sans manger. C'est vite vu. Me confier à une clinique pour obèses est encore moins envisageable : qui me cuisinerait les plats merveilleux que papa me confectionne ? Comment supporterais-je la torture d'un repas composé d'une feuille de salade et de deux rondelles de carotte ? Pas de symphonie olfactive avant de manger ; pas de caverne d'Ali Baba m'offrant son trésor comestible. Le cœur de papa en saignerait. Le mien aussi.

Nous sommes résolument en phase : nous refusons, l'un comme l'autre, de voir la réalité. Nous vivons dans la bulle gémellaire qu'il a créée pour moi, et toutes les privations sont inadmissibles. Nous préférons suivre notre pente malsaine, vivre le plaisir de l'instant, quitte à le regretter plus tard.

Je lui ai demandé d'enlever tous les miroirs de la maison. Je dois être invisible. Parfois, le matin, j'ai l'impression d'avoir un peu minci, d'être un peu plus légère, et un espoir s'ébroue dans mon ventre comme un oiseau captif. Mais au cours de la journée je me sens devenir plus lourde, attirée par le magnétisme de plus en plus puissant de la terre ; une fois la nuit venue, je sens que je pourrais traverser la croûte, et le manteau, et le noyau terrestres et atteindre ce centre inconnu où je trouverais enfin ma place, hors de toute dimension humaine.

Je dois changer régulièrement de vêtements, tel un bébé qui grandit à vue d'œil. À chaque fois, la couturière a le souffle coupé. Elle garde du tissu en stock, un rouleau entier qu'elle a acheté rien que pour moi. Si on allait camper, dit l'une des filles de ma classe, on n'aurait pas besoin d'acheter une tente : ton sweat suffirait. Une autre reprend : Et s'il pleut, on s'abritera sous son ventre. D'ailleurs, ce n'est pas un ventre, c'est un préau. Les pestes ricanent. Parlez toujours, brindilles, on verra comme vous jacasserez quand je vous broierai sous ma masse. Je m'imagine, les faisant tomber et me jetant de tout mon poids sur leurs petits corps cassables. Je renoue avec mes anciennes envies de meurtre.

Le soir, je parle de moins en moins. Papa fait la conversation pour deux, histoire de meubler ce silence qui devient insupportable. Il cuisine avec plus de verve et de talent encore. J'avale avec rancœur et gratitude. Je pourrais boire de l'huile au verre tant j'ai l'impression que toute cette nourriture s'attache à mes parois, s'accroche à mes artères, se solidifie à travers mon corps. Il n'empêche que ce qu'il prépare est irrésistible. Papa, fée de la cuisine. Qui me condamne à vivre et à mourir à brève échéance.

Le retour à ma chambre est une montée vers l'échafaud. Je sais que chaque pas sera plus lourd que le précédent, que le plancher grincera et craquera, que le lit manquera de se briser sous mon poids, que la sensation d'engloutissement lorsque je m'allongerai, de noyade dans mes propres eaux, sera plus terrifiante encore.

Demain, me dis-je, demain, je commence un régime. Mais au matin l'odeur des œufs au plat et du bacon monte jusqu'à ma chambre et je n'ai qu'une envie : manger. Manger encore, manger comme haute ambition, manger comme but ultime, manger comme personne ne l'a jamais fait, manger parce que l'alternative est de mourir dans la sécheresse du corps et du cœur et parce qu'on va mourir quand même, bouche dévoreuse, langue saliveuse, estomac infini, je ne suis qu'un ventre, c'est là tout ce que je suis, rien d'autre, pas de promesse d'avenir, pas l'ombre d'un bonheur ne se profile sur mon horizon, la fin est permanence, comme la faim.

La succession de demains ne signifie rien, le soleil ne se lèvera plus, ma nuit est éternelle.

Demain, me dis-je, demain. Mais les larmes qui me viennent à minuit sont celles de la plus parfaite désolation, et personne ne viendra me caresser les joues ou calmer la tempête qui rage en moi : je n'entends plus que le ciseau de solitude qui découpe mon temps en morceaux minuscules.

Demain et puis rien.

Tout s'éteint sauf le long voyage de la nourriture dont mon corps est l'otage.

Ne me regarde pas.

Je ne veux aucun regard sur moi.

J'ai seize ans et ma masse accrue m'épouvante.

J'ai seize ans et je suis une géante dans l'espace clos de ma chambre.

J'ai seize ans et je ne veux pas mourir.

Je n'ai pas l'impression de manger plus que d'habitude. Mais mon corps, désormais, grossit seul. Tout ce que j'ingurgite et engouffre se transforme en graisse, mes muscles ont disparu, je ne brûle plus de calories et j'en consomme dix fois plus que ce dont j'ai besoin.

J'ai perdu la bataille. Mais je veux savoir jusqu'où j'irai.

Je parviens à peine à me lever, à marcher, à aller jusqu'à la salle de bains, à descendre l'escalier. Pas toute seule, plus jamais. Papa a modifié l'agencement de la cuisine. Il y a désormais de larges banquettes solides et basses qui ne s'affaissent pas sous mon poids. C'est laid mais fonctionnel. Il va bientôt remplacer l'escalier par une rampe, transformer son bureau du rez-de-chaussée en chambre à coucher, déménagera à l'étage. Des changements qui me montrent ce que je deviens, la chose grotesque qui enfle ici comme une bête dans son antre.

Je ne vais plus au collège.

Joie ! Plus de moqueries, plus de rires, plus de haine, plus de chansons où riment « couenne » et « baleine », plus de journées sportives dont je suis à la fois le clou et la crucifiée, plus de goinfreries, enfermée aux toilettes dans les odeurs de tous ces corps pétants de santé. Lente marche funèbre, obsèques d'une fille qui n'aura jamais été une fille, qui n'aura été qu'un phénomène portant son propre cercueil sur le dos tandis qu'on lui jette au visage les ordures d'une méchanceté intarissable.

Surtout, plus d'œil. Celui qui m'a poursuivie pour m'exposer dans les postures les plus bouffonnes, les plus hideuses, celui qui m'a dépecée et a livré mon corps en pâture. Le lynchage du siècle. Qui n'a rien à envier aux temps où l'on pendait haut et court les maudits. La mise à mort est simplement plus lente.

Le lycée accueille les handicapés, malvoyants, malentendants, syndromes d'Asperger, « autrement capables » – ce qui ne veut rien dire puisque nous le sommes tous, autrement capables –, mais il ne peut accepter une obèse.

Selon leur logique, tous ces handicapés n'ont pas le choix. Les obèses, eux, c'est évident, l'ont. Ils sont coupables de gloutonnerie, qui est un péché capital. Me voir les renvoie à des hantises bibliques. Me voir les renvoie à la honte primaire qu'inculquent les religions pour punir les excès. Me voir les renvoie à la culpabilité d'aller chez MacDonald's, d'organiser des anniversaires d'enfants dans les fast-foods, de commander des pizzas parce qu'ils n'ont pas envie de cuisiner.

Me voir est une preuve de plus de l'échec de l'humanité contre ses pulsions. On peut cacher tout le reste, les excès d'alcool, de tabac, de drogue ou de sexe, mais la graisse s'éploie dans toute sa splendeur dès les premiers instants, et rien ne peut la dissimuler.

Je suis la part de vous que vous ne voulez pas être. Le monstre qui se cache en vous tous. Votre peur la plus intime. La main portant la nourriture à votre bouche tremblante de désir…

Tout effacer, de cette nature qui n'élimine plus rien. Mais comment effacer l'obésité de la présence humaine sur terre, celle qui engloutit et dévaste et ne cesse de s'épandre ? Pauvres oiseaux, papillons et éléphants ! Tous logés à la même enseigne. Ce qui n'était au départ qu'un élargissement mineur est devenu une expansion accélérée, effrénée, qui ne laissera bientôt plus le moindre espace aux autres espèces. Ma présence les ramène aussi à la culpabilité atavique d'avoir tout foutu en l'air.

Dans un coin de la chambre, ma jumelle me regarde d'un air las.

Tu tiens absolument à faire partie d'une histoire plus grande que la tienne, dit-elle. Mais ton histoire n'est pas moins importante que celle des autres. Tu n'as pas besoin d'être la représentante d'une humanité en dérive pour exister. C'est moi qui ai besoin d'une béquille. Sans toi, je ne suis rien. Je disparais.

Au fond de moi, je ne veux pas que ma jumelle s'efface. Fuis, lui dis-je à mon tour, faufile-toi par les murs, par les interstices. Évade-toi par-dessus les toits, les collines, les espaces que je ne pourrai jamais conquérir. Je ne veux pas d'une béquille mais d'une paire d'ailes. Seulement ainsi pourras-tu me sauver.

Je finis par discuter avec elle tandis qu'une part de moi perçoit les palpitations désordonnées de mon cœur, la pesanteur qui me cloue à ce lit, les douleurs qu'entraîne mon immobilité et qui, bientôt, si je ne fais pas l'effort de me lever, causeront des escarres et des irritations et des inflammations, s'ajoutant à celles provoquées par le frottement incessant de mes bourrelets.

Je risque aussi, tout le temps, de me casser un os en prenant appui sur un bras ou une jambe. Le médecin m'a prévenue. Mon poignet pourrait se fracasser à tout moment. Mes hanches sont celles d'une vieille que guette une fracture du col de fémur.

J'ai seize ans et mes jours sont comptés.

Ne me regarde pas.

Je le répète et le répète encore. Mais à qui dis-je cela ? Le lendemain, j'ai la réponse. Papa m'apprend que ma mère l'a appelé. Elle est revenue des États-Unis. Elle veut me voir.

Ma sœur et moi, nous nous regardons, atterrées.

N'accepte pas de la voir, me dit-elle. N'accepte pas qu'elle te voie.

Pourquoi ? Pourrait-elle te faire disparaître en ne voyant que moi, en niant la supercherie de papa ?

Elle ne répond pas.

Mais je suis d'accord avec elle : il ne faut pas que ma mère me voie.

Cela fait des années. Mais le silence d'une mère dure bien plus longtemps. Il dure l'éternité. Il dure le temps du ressentiment, qui n'a pas de limites. Le silence de ma mère épaissit, en moi, une colère qui sillonne mon corps comme des veines variqueuses.

Papa est tout pâle. Il me voit soudain avec les yeux de ma mère et les siens se mettent à saigner. Elle ne comprendra pas, dit-il, elle n'a aucune imagination, l'esprit étroit des Américains, tout pour le look, rien pour l'âme, comment pourra-t-elle voir ce que montrent les yeux de l'amour vrai ? Il se ronge les ongles et les cuticules comme il le fait lorsqu'il est nerveux.

Mon plafond, que je consulte infiniment, ne me dit rien. J'ai faim. Le monde tourne autour de mon ventre et de ses exigences. Le reste m'importe peu. C'est une sorte de consolation.

Un jour, pensant à ma mère partie, je me suis regardée dans le miroir et j'ai su que c'était la vision de mes futures formes trop opulentes qui l'avait repoussée : mon corps difforme sous des vêtements amples et disgracieux qui me donnaient l'air d'une clocharde, les esquisses de seins qui se noyaient déjà dans les bourrelets alentour, mes bras horizontaux, les bajoues qui figeaient ma bouche en une bouderie permanente... Tout cela était déjà présent dans le bébé qu'elle avait tant de mal à tenir dans ses bras. La fille qui grandirait en se répandant serait la ruine de ses rêves. Elle est partie avant d'avoir eu à la confronter.

Mais aujourd'hui, peut-être s'imagine-t-elle que je suis devenue, par le miracle de ces illusions maternelles qui savent si bien mentir, une fille normale ? Une belle fille debout, qui marche, va au collège, a une vie, des aspirations, un avenir ?

L'arrivée de ma mère me terrifie autant que mon père, mais je n'exprime rien, je le laisse mijoter dans sa terreur, après tout, quelqu'un doit bien souffrir avec moi.

Il nettoie la maison de fond en comble. Il la fleurit, la désodorise, l'aromatise. Il place en des endroits stratégiques des signes de notre riche vie à deux : des livres d'art, des films de collection, les volumes de la Pléiade que je n'ai jamais lus. Il redécore ma chambre en tons crème et miel, m'achète le dernier MacBook, charge ma tablette de livres et de musique, on dirait qu'il me prépare pour un concours et c'est peut-être cela, en effet : le concours de la plus grosse truie.

Un jour, il me ramène, tout excité, une parure de lit. Je suis stupéfaite : c'est une parure de star, en soie satinée bleu roi aux arborescences dorées, des plumes de paon irisées ornant la couette et les oreillers. Elle me masquera, pas de doute, me dissimulera aux yeux de ma mère sous un excès d'exubérance. Il m'offre également un vaste caftan qu'il a dû dénicher au marché africain et dont les couleurs sont tout aussi royales, mais je sais que je ne le porterai pas, être une abomination me suffit – une abomination multicolore, c'en serait trop. Je ne le lui dis pas et souris bravement. Il s'efforce de paraître heureux, ne parvenant qu'à grimacer d'effroi.

Elle n'en reviendra pas, dit-il, deux si splendides jeunes filles dans un décor de star ! Elle n'aurait pas pu mieux faire, c'est sûr !

C'est bien cela qui le hante et le terrifie : aurait-elle réussi, elle, à endiguer la ruée sauvage de mon corps ? Serait-elle parvenue à dompter le monstre ?

Lorsqu'il sort, je planque le caftan sous le lit. Je reste dans mon tee-shirt délavé et informe. Avec des ciseaux à ongles, je découpe, dans la housse de couette, un trou stratégique qui me permettra de voir sans être vue.

Le jour de son arrivée, papa est comme une poule prête à pondre, caquetant, se dandinant sur ses pattes grêles, poussant des soupirs pathétiques. Il prépare des canapés qui emplissent la maison de parfums de pâte feuilletée, de champignons, de truffes, de saumon fumé. Ses cheveux sont hérissés et il pue la transpiration.

Va prendre une douche, papa, lui dis-je.

J'en ai pris une ce matin.

Va en prendre encore une. Pour elle.

Sa jolie bouche se plisse comme celle d'un enfant qui va pleurer. Pauvre père ! Il ne supportera pas le stress, c'est sûr. Il explosera d'ici ce soir. Ou il se terrera dans sa chambre et refusera d'ouvrir la porte à ma mère.

C'est bon, papa, ça ira. Ce n'est qu'une mère, lui dis-je.

Vous ne la connaissez pas…, murmure-t-il.

Non, précisément. Elle aura assez honte comme cela.

Il hoche la tête.

Vous avez raison, c'est à elle d'avoir peur et d'être stressée, pas à moi ! Elle s'est barrée, moi je suis resté. Je suis un bon père, n'est-ce pas ?

Son regard sur moi est une supplique.

Oui, papa, ai-je menti.

Il sourit et se précipite dans la salle de bains. J'entends le bruit de la douche sur son corps. Elle crépite doucement et coule, caresse complice. Un parfum de gel au citron s'élève. Sa peau, tout à l'heure, sentira l'agrume, mêlé à son odeur mâle, un peu sure : sa peau sur laquelle le regard de ma mère glissera avec une secrète envie, c'est certain ; mais lui, à quoi pensera-t-il lorsqu'il reverra la femme qui l'a quitté et à qui il n'a jamais pardonné, qu'il n'a jamais oubliée non plus, celle qui rassemble et sa colère et son désir ?

Peut-être iront-ils tous les deux dans sa chambre avant de venir me voir. M'oubliant, le temps de leurs ahanements sanguins. Le temps d'un lit qui grince comme il n'a plus grincé depuis longtemps ; je peux les imaginer, leur passion, leurs bruits, leur copulation effrénée. Moi, leur fille, j'ai longtemps pensé à l'acte qui m'a créée ; à moitié glacée par la rancœur, une hostilité venue je ne sais d'où, je glissais la main entre mes cuisses, je longeais mon sexe et écoutais le frémissement qui s'éveillait à mon toucher, je me mettais à haleter comme eux ont dû le faire, mon corps s'éveillait sous l'eau coulée de mon désir, les yeux fermés, j'imaginais un corps mâle courant sur le mien, et l'impensable se produisait : je parvenais à un orgasme de femme alors que je l'étais à peine, et ma main, lorsque je la sentais, avait une odeur de sève et de citron.

Mon père s'est habillé de frais, un jean bleu foncé et une chemise blanche aux manches retroussées, son avant-bras est recouvert d'un duvet soyeux, l'intérieur est d'une blancheur émouvante, strié de veines bleues. L'intérieur des bras des hommes révèle une fragilité que le reste de leur corps s'acharne à dissimuler.

Je n'ai jamais rien vu de plus sexy.

Papa me fixe d'un air incertain.

Vous allez… Vous voulez descendre au séjour ?

Papa… Je ne veux pas la faire fuir dès qu'elle arrivera. Je vais rester dans ma chambre.

Il sourit misérablement et s'en va.

Je reste dans mon lit, les yeux rivés au plafond, la bouche mâchant d'instinct une nourriture absente. Il va et vient au rez-de-chaussée, il range, déplace les choses, les remet à leur place, ouvre une fenêtre et la referme, met un CD puis le change, il ne sait plus quoi faire de ses mains, de son grand corps, de ses sens, de sa langue, de son être, il attend ma mère, mon Dieu, est-ce là l'ampleur de sa démission, de sa défaite, il suffit qu'elle se manifeste pour qu'il s'écroule ?

Je l'entends. Je l'attends. Qu'elle vienne et qu'elle s'en aille ! Qu'on en finisse !

Mais lorsque la sonnette de la porte d'entrée résonne à travers la maison, c'est comme un glas : le compte à rebours commence.

Ma porte est entrebâillée et, même sans les voir, je perçois tout, je les ressens dans ma chair, je les devine.

Leur gêne, leur murmure inintelligible, bonjour tu vas bien, oui et toi, bien bien et puis –

Et puis rien. Elle est debout sur le seuil, il la regarde. Il saisit sa beauté d'Américaine, celle dont le gabarit est donné par les films et les séries, forme, taille, structure, squelette. Elle a de longues jambes gainées dans un jean de la même couleur que le sien, son chemisier est en soie et laisse entrevoir sa peau, les contours de sa lingerie fine de chez Victoria's Secret, sans doute de la même couleur que son chemisier, peut-être d'un bleu d'aube, et les yeux de papa s'attardent sur ces courbes discrètes mais sensuelles, il avait oublié combien les petits seins étaient attrayants, il avait oublié combien une ossature visible était belle, il avait oublié, à force de s'occuper de sa fille qu'il n'a pas choisie, la femme qu'il avait épousée.

Il la regarde et tombe de nouveau amoureux. Sa main qui s'avance.

Entre, je t'en prie.

J'entends, dans sa tête, les deux mots « ma chérie ». Mais il ne les prononce pas. Ces deux mots m'appartiennent.

Elle sourit faiblement. Elle entre, ses talons bégaient sur le sol. Va-t-elle tomber ?

Lorsqu'elle s'assied, c'est à peine si le fauteuil ploie. Un poids plume s'est posé sur ce siège torturé. Une plume lisse et fine qu'on aurait envie de caresser, et mon père a le souffle coupé, à la fois par sa présence et par la crainte de son prochain départ.

Elle regarde autour d'elle. C'est bien tenu, murmure-t-elle.

Tu t'attendais à une porcherie ? demande-t-il brusquement. Puis : Désolé, je suis nerveux.

Moi aussi. Cela fait si longtemps.

Elle perçoit la durée de ce temps parti dans le silence de mon père.

Écoute… Je sais que j'ai eu tort de m'en aller. J'ai été lâche. J'aurais dû rester.

Il ne répond pas. Est-il surpris ? Pense-t-il, le cœur battant, qu'elle se propose de revenir ? Mais comment se dessinera cette équation à trois ? Mon cœur aussi s'est accéléré. Si elle revenait… Si elle revient… Peut-être saura-t-elle me ramener à la vie ?

Oublions tout cela, dit papa. Nous avons fait notre vie, chacun de notre côté. Il n'y a rien à pardonner.

Dans cette déclaration, il y a son refus. Elle le comprend aussi, sans doute, puisqu'elle soupire.

Comment va-t-elle ?

Bien.

C'est tout ?

Tu es venue pour les voir, tu le leur demanderas.

Elle reste un instant silencieuse. Puis, avec colère :

Tu en es encore là ? Tu n'as pas abandonné cette théorie – lui as-tu fait croire, pendant toutes ces années…

Elle s'interrompt, tentant de se ressaisir :

Te rends-tu compte à quel point cela semble… déséquilibré ?

Ce qu'il y a de déséquilibré, répond-il, c'est l'absence d'une mère.

Elle n'a rien à opposer à cela.

Je voudrais l'emmener quelque part où nous pourrons parler, toutes les deux, dit-elle.

Pourquoi ?

Ce sera plus simple, plus facile, pour elle et pour moi, d'être hors de la maison. Elle doit beaucoup m'en vouloir. J'ai tant de choses à lui dire.

Tu les emmènerais où ?

Au parc, par exemple.

Papa se lève et ouvre la porte d'entrée.

Que fais-tu ? demande-t-elle.

Je vais voir la voiture dans laquelle tu comptes les emmener se balader.

Un silence. Puis, un énorme éclat de rire :

Dans cette boîte à sardines ? Vraiment ?

C'est une Mini Cooper, réplique-t-elle sèchement. Je ne vois pas ce qu'elle a de si terrible.

Papa rit, rit encore, jusqu'aux larmes. Jusqu'à en pleurer. Il est hystérique. Maman doit être perplexe.

Ne sais-tu pas…, commence-t-il. Je t'ai pourtant dit… Écoute, le plus simple est que tu montes les voir dans leur chambre.

D'accord.

Et le moment arrive. Courant d'air qui à peine s'appesantit sur les marches, elle monte l'escalier et se glisse vers moi avec un parfum de lilas, de jasmin, de jardin fleuri, de liberté. Un monde interdit. Pauvre mère ! Elle ne sait pas qu'elle monte vers son propre échafaud.

Je plonge sous ma couette et fixe la porte par le trou stratégique.

Elle frappe à la porte entrouverte. Je dis « Entrez ». Elle se faufile dans un interstice qui me semble incroyablement exigu.

Suspendue à l'encadrement de la porte, elle ne respire plus. Elle regarde le lit.

Première fois que je vois ma mère, par un trou. Ou plutôt deuxième fois, si on compte ma naissance et mes premiers mois. Mais aucun souvenir. Aujourd'hui, oui, enfin. Premier sentiment : honte de ce que je suis. Première pensée : elle ne doit pas me voir. Elle est si fluette. Elle ne supportera pas le choc. Comment ai-je bien pu me glisser entre ces hanches qui ne font pas la largeur d'une seule de mes cuisses ? Mais j'avais oublié : ils m'ont sortie d'elle en la découpant. Tant mieux. Je l'aurais déchirée en deux. Le bébé de dix kilos l'aurait tuée sans remords. Elle m'a néanmoins portée pendant neuf mois et dix jours. La bravoure des mères est cruellement sous-estimée.

Joues rougies, lèvres pâles. Effondrement de ses attentes. Hier soir, elle a dû m'imaginer. Un peu grosse peut-être, puisque papa l'a prévenue à demi-mot, mais pas à ce point. Pas comme cela. Pas au point où l'imagination ne suit plus. Elle a dû penser à la promenade dans sa Mini, à notre arrivée au parc, à notre marche, main dans la main, mère-fille sous les bouleaux, sous les platanes amputés qui commencent à repousser. À la conversation que toutes les mères doivent un jour avoir avec leur fille adolescente – *tu dois apprendre à aimer ton corps* – et cela a dû lui sembler difficile, compliqué, comment communiquera-t-elle avec cette fille qu'elle ne connaît pas, aux émotions incomprises, et dont les yeux lui parleront peut-être d'abandon ? Mais elle n'avait aucune idée.

Tu dois apprendre à aimer ton corps.

Or maintenant, ce qu'elle voit, incompréhensible, impensable, est une colline. Non, pas une colline : une montagne. Couronnée d'un édredon bleu et or, une divinité maya allongée. Où est sa fille ? A-t-elle été dévorée par la divinité ? Il n'y a que l'impossible qui puisse expliquer l'impossible.

Aussitôt, son esprit lui offre d'autres réponses, plus prosaïques : aurait-elle accumulé des oreillers sous l'édredon pour se faire la malle par la fenêtre, comme toutes les adolescentes qui rêvent de fugues ? Un sourire tremble sur ses lèvres, ma fille fugueuse par la fenêtre, ma fille *normale*, qui a peut-être un petit copain ou qui a préféré filer au cinéma avec ses copines plutôt que de rencontrer sa mère, peu importe, peu importe, mieux vaut cela que l'autre réalité.

L'autre réalité, la vraie, c'est la montagne. Non, pas une divinité maya, qu'est-ce qu'elle viendrait faire ici ? Cette montagne, c'est ma fille. Une réalité de chair et de graisse et de tissus et de muscles qui a bâti une montagne enracinée dans son lit, non pas au fil des millénaires mais en quelques années d'absence. Trou noir où une petite fille a disparu pour être restituée sous la forme d'une immensité que la raison ne parvient pas à saisir. Prise par un tremblement qui commence aux orteils et qui monte jusqu'au sommet du crâne, un tremblement de pure terreur à l'idée que je dois, que je dois, ôter la couette pour découvrir ma fille, découvrir le monstre qui a avalé ma fille, découvrir ce qu'est devenue, à cause de ma disparition, l'enfant ravissant et trop gras qui pesait déjà lourd dans mes bras avec son odeur de talc et de lait régurgité, mais jamais trop lourd, ça non, jamais trop lourde pour mes bras de mère, jusqu'au jour où j'ai compris que je mentais, elle était effectivement trop lourde dans tous les sens, trop lourde à porter dans ma tête parce que j'ai entrevu ce qu'elle allait devenir, parce que j'ai craint mon incompétence, mon impuissance face à cette bouche qui exigeait toujours davantage et qui, ne trouvant pas satisfaction chez moi, s'est résolument tournée vers un père trop heureux d'être plus important, prêt à la gaver, à les gaver toutes les deux, avec sa ridicule théorie de jumelles dont l'une aurait absorbé l'autre, et face à ce bloc père-fille fait de ciment et de béton armé dont le mortier était la nourriture, jamais finie, jamais manquante, la vraie divinité du foyer, la nourriture toute-puissante qui avait établi son emprise sur ma fille et sur son père, que pouvais-je faire d'autre que m'effacer ?

Est-ce pour cela que je suis partie, partie si définitivement que je ne t'ai pas revue toutes ces années pendant lesquelles tu t'es transformée en autre chose, en autre, en

une montagne sous une couette bleu et or ?

Ce qu'elle ne dit pas, c'est la véritable raison de sa fuite : la tentation du meurtre.

Je vois tout cela si clairement, je lis ma mère si facilement que je souris d'une douleur différente des autres, car même sans qu'elle me voie, je suis celle qui anéantit tout sur son passage, y compris la mère que j'attends et que j'espère depuis si longtemps, aujourd'hui elle n'ose plus franchir ma porte, pauvre mère née de ma voracité, et comment puis-je l'en blâmer, elle a été, comme tous les autres, hypnotisée par les images qui construisent des cathédrales d'illusions dans nos têtes, agenouillée devant le dieu-minceur, la déesse-jeunesse, les saints de toutes nos hypocrisies, et l'amour maternel, hélas, ne peut lutter contre ces divinités-là, pas plus que contre la déesse maya gisant sous sa couette royale dont les yeux fixés sur elle quémandent son adoration.

Enfin, enfin, elle s'approche, détachant ses doigts moites de la porte, les jambes fléchies de peur et de stupeur, elle s'approche comme une poupée qui marche, dandinant sur ses guiboles, elle avance une main, sa bouche est barbouillée d'une salive amère, ses yeux roulent comiquement, on dirait un fantôme, mais ce fantôme-là est ma mère, et il me terrifie. Sa main rencontre la couette, s'étonne du soyeux de cet objet luxueux, le satiné bleu que j'ai envie de caresser pour m'endormir comme un enfant serre son doudou, et elle voudrait s'arrêter là, s'arrêter à la soie d'un tissu qui lui restitue le souvenir intact d'une soie de bébé dormeur sur son sein, voudrait s'arrêter là et ne pas explorer plus loin parce que, au-dessous, au-dessous, ce corps volumineux, est-ce possible, et elle se souvient de s'être vue dans le miroir alors qu'elle était sur le point d'accoucher et face à ce ventre énorme, à cette enflure hors de toute raison greffée à la tige filiforme qu'elle avait été, son esprit avait refusé de comprendre, lui avait dit de fuir, comme maintenant, comme maintenant, sauf que ce corps enflé n'accouchera de rien aujourd'hui, pas de bébé de dix kilos, non, ceci est le bébé lui-même, devenu une vastitude sans but et sans fin

et je vois cette main qui s'avance et mon cœur s'époumone. Je finis par trouver ma voix :

N'enlève pas la couette !

La main s'écarte, presque soulagée. Ma mère tombe à genoux à côté de mon lit. À travers la fente, son visage triangulaire, la saillie de ses pommettes, sa bouche un peu trop large et au pourtour tragique, son cou sans doute moins lisse que jadis, ses clavicules prononcées – ma mère dont la chair me semble quasi inexistante, si terrifiante de minceur, au corps si peu accueillant, si peu maternel. Trop belle pour être mère, sans doute ?

Elle ne me regardera pas. Elle préfère se protéger de sa progéniture. Ne pas s'infliger une vision qui hantera ses rêves.

Comment vas-tu ? demande-t-elle, la question mourant de solitude, à peine posée.

Bien, bien, lui dis-je.

Ah, bon.

Oui, certes, bien. Pauvre mère, comprends-tu ce qu'est l'immobilité forcée de trop de chair ? Non, bien sûr. Une question me vient à l'esprit. Si j'étais quadriplégique, m'aurait-elle gardée ? Se serait-elle occupée de moi ? Aurait-elle eu le courage de me voir ?

Papa prend soin de toi ? dit-elle.

Oui.

Tu as besoin de quelque chose ?

Non.

Je ne peux pas lui dire : de toi. Ce ne serait pas vrai. Je n'ai pas besoin d'elle. Elle me rappellerait sans cesse ce que je ne pourrais jamais être. Quelqu'un qui peut tenir sur un pèse-personne sans le briser.

Quelqu'un qui peut retenir un homme sans le terroriser.

Enfin elle me dit : Donne-moi ta main. Je prends mon temps. J'écoute son souffle. Elle inspire profondément. Lorsqu'elle bloque sa respiration, je sais qu'elle est aussi prête qu'elle le sera jamais. Alors, je pousse ma menotte hors de la couette et la lui tends.

Elle la regarde. Oui, m'man, c'est bien une main. M-A-I-N, main. Partie de l'être humain qui s'articule aux extrémités des bras et se prolonge en parties digitées dotées de facultés de préhension. Ma paume attend qu'elle y pose la sienne et s'y noie. Mais elle continue de la regarder, se demandant peut-être si c'est une maladie qui l'a gonflée ainsi et si une aiguille la dégonflerait pour qu'elle reprenne la taille normale d'une main de seize ans. Les lignes se devinent à peine, plus roses, sur la paume. Ma ligne de vie disparaît dans le bombé du mont de Vénus. Le trou qu'elle y ferait en y appuyant un doigt resterait-il ou s'effacerait-il doucement comme dans une pâte à pain ? J'ai la levure triste, maman.

Elle finit par la toucher. Sa main à elle est minuscule, bien sûr, face à la mienne, une patte d'oiseau, presque, tout aussi légère, avec ses os délicats, mais ce toucher est un miracle, le sais-tu, elle m'isole de mes larmes et pour une fois me permet de m'offrir à son amour sans m'abrutir de honte, ma main est loin d'être aussi terrible à voir que moi et je peux donc la lui offrir entière, et enclore la sienne avec délicatesse, et me livrer à cette caresse qui pourrait presque être la première après la naissance, tant le silence entre nous a été long ; ma mère me renaît.

Nous restons là, suspendues à ce miracle. Détruites par ce miracle. Tout ce qui est perdu entre nous tient là, entre nos paumes réunies. Je ne sais si je pourrai supporter plus longtemps la tristesse qui enfle mon cœur à cet instant.

Ta peau est douce, finit-elle par dire, un peu bêtement.

Alléluia, elle peut être fière de quelque chose, j'ai une peau douce à faire rêver et elle s'en souviendra les nuits glauques, quand tous les regrets s'abattront sur elle pour lui dire, sauvagement : tu as failli.

Comment ?

Demande-t-elle.

Un vocable bien trop vaste. Mais c'est la seule question qui peut être posée. Hélas, je n'ai pas de réponse. Ou alors, ce sera lui, au rez-de-chaussée, qui attend, attend qu'elle se précipite au bas de l'escalier les yeux remplis d'horreur et se mette à le griffer de reproches, lui qui attend qu'elle parte pour être de nouveau seul avec son grand œuvre, lui qui me veut son exclusive, son infinie, lui qui trouvera la réponse. Mais j'en doute. Il ne peut deviner le sortilège de chair qui nous emprisonne.

Je ne sais pas, maman. C'est ainsi.

Mais les médecins… La chirurgie… Un anneau gastrique…

L'anneau gastrique, le by-pass par cœlioscopie, le *sleeve gastrectomy*, oui, tout cela existe, maman, mais…

Mais quoi ?

Je n'ose lui dire qu'il n'a pas voulu. Je n'ose lui dire qu'il a cessé de m'emmener chez le médecin pour que je n'aie plus à subir ce jugement qui soupèse chaque kilo de graisse comme un désastre annoncé.

Un long silence où je voudrais m'endormir en étant assurée qu'il serait à mon réveil aussi riche que maintenant.

Mais je sais que si je m'endors elle partira sur la pointe des pieds, comme la dernière fois, lâchement, au milieu de mon sommeil.

Maintenant que j'y repense, je me dis qu'elle a bien fait de partir à ce moment-là. Car ce qui est entré en elle à ma naissance est une violence. Une envie de lever la main et de la balancer sur mes fesses et sur mon dos, de marquer d'écarlate cette chair adipeuse et blanche, de frapper, et frapper encore, cette image d'une existence entièrement asservie à la nourriture, preuve d'une totale absence de maîtrise de soi et de volonté, d'un laisser-aller pire que tous les caprices d'enfant. Frapper et frapper encore, la main se refermant en un poing pour tenter d'atteindre, à travers les couches et les couches de sédiments lipidiques, les os simples et nus qui s'y cachent, les os faits pour se cintrer et s'arquer, signaler une taille fine, un dos lisse, le creux d'un genou, l'ancre d'un cou. Et peut-être les briser, finalement, ces os, puisqu'ils n'ont rien à faire sous cette matière malléable et spongieuse qui les entoure et qui les dissimulera à jamais, tout comme elle a dissimulé, avalé, noyé cette petite fille dont elle avait rêvé pendant sa grossesse.

Et face à cette violence pure et souveraine, ma mère, la main déjà presque levée, se serait mise à reculer, à reculer encore, pour sortir de la chambre, pour ne pas risquer de céder à la pulsion primaire qui l'envahissait comme un soleil noir, pour ne pas se mettre à tabasser le bébé, et surtout pour ne pas trahir cette pulsion en me laissant voir la grimace de haine qui relevait ses lèvres d'un rictus.

Je l'ai compris très tôt, m'man. J'ai compris la haine que j'inspirais chez les gens, chez toi, chez tous sauf chez mon père. Une haine qui n'avait rien à voir avec ma personne, mais tout à voir avec mon corps repoussant. Je n'étais pas une lépreuse, mais presque. Je n'étais pas contagieuse, mais presque. La laideur est une tare. Dans la rue, les gens n'hésitent pas à m'interpeller, à m'insulter, à me conspuer. Cessez de vous goinfrer ! crient-ils. Je ne fais de mal à personne, pourtant, mais ils se sentent le droit de m'attaquer. À voir la beauté, on sourit. Même si elle dissimule mesquinerie, médiocrité ou cruauté, on l'admire, on la vénère, on en rêve, on en fantasme. Moi, je n'ai eu aucune chance.

Elle laisse une dernière caresse sur ma main. Sa voix tremble.

Je dois partir.

Tu reviendras ? (La petite fille a refait surface à mon insu.)

Oui, je reviendrai. Peut-être que… Elle s'arrête. Elle ne termine pas sa phrase. *J'espère que la prochaine fois tu me permettras de te voir.* Elle n'est pas certaine d'en avoir le courage.

Elle s'enfuit. Je ne suis pas sûre qu'elle reviendra.

En aura-t-elle le courage, elle qui n'en a jamais eu à mon égard ?

Elle craint que, d'ici là, la montagne ne soit devenue volcan.

Après son départ, le vide de ma chambre est devenu un gouffre. Seul y survit l'ectoplasme qui y grandit et qui n'attend plus qu'une chose : que son corps vienne à bout de lui-même.

Ce serait si simple.

Au lieu de peupler mes jours d'une jumelle étriquée qui les rend plus amers et plus vacillants encore, peut-être devrais-je simplement l'admettre. Je suis irréparable.

De quelles manières puis-je prétendre avoir été aimée ?

Laissez-moi les compter…

L'œil de ma sœur m'assombrit.

Papa entre sur la pointe des pieds.

Ça va, mes chéries ?

Oui, papa.

Il hésite entre la porte et mon lit. Il me voit, recouverte de pied en cap et comprend que je n'ai pas laissé ma mère me voir. Il s'assied sur mon lit. Je sors la tête. Il voit ma pâleur et les traces de mes larmes. Il ferme les yeux. Il avance une main aveugle et la pose contre ma joue.

Mes chéries…

Papa, arrête !

Quoi ?

Je ne suis pas double !

Quoi ?

Papa, c'est bon, la supercherie est finie. Regarde-moi. Je suis une seule personne. Indivisible. Même si j'étais deux, cela n'aurait pas suffi. Regarde-moi. Je pèse autant que quatre personnes réunies. Alors, vas-tu prétendre que j'étais des quadruplées à l'origine ? Que j'aurais dévoré trois sœurs ou frères pour être ? Sais-tu ce que cela fait de moi ? Une *serial killer* avant même de naître, papa.

Je n'ai pas dévoré une sœur ou trois. J'ai toujours été seule. Je suis unique. Si tu acceptes de me voir telle que je suis, ce sera plus facile pour moi. J'ai joué le jeu, mais ma jumelle n'existe pas ! Vas-tu faire de moi une meurtrière, papa ? Cela ne suffit pas que je me déteste, tu veux encore que je me condamne ?

Papa ! Je suis moi ! seule ! unique ! inutile ! celle qui n'aurait pas dû être !

Son visage se fige. Il est exsangue. Au bout d'un moment, il se lève.

Donne-moi une minute, me dit-il.

Et il s'en va.

Voilà. J'assassine ma sœur une deuxième fois. Et cela me fait un bien fou. Mais tuer mon père ne me console en rien.

Les jours défilent. Heureusement. Heureusement pour eux, les pauvres jours, pluvieux, endormis ou réveillés par un orage matinal, glissant vers les vestiges de la nuit ou écrasés dès midi par le soleil d'un été grimaçant, ils ne restent pas immobiles comme moi, figés, coincés à jamais dans un lit qui sent le moisi malgré les draps aérés, qui sent la mort malgré la jeune vie qui s'y vautre. Je suis une gisante abandonnée. Pas par mon père, bien sûr ; il est mon seul fidèle. Mais ma mère, happée par sa terreur, ne reviendra pas. Comment pourrait-elle retourner vers sa double trahison ? Je suis le corps inerte de sa faute. Je ne lui pardonne pas. Qu'elle se jette sous une rame de métro si cela lui chante, lorsqu'elle ne pourra plus voir son joli minois de traître dans le miroir. Lorsqu'elle ne pourra plus supporter l'ombre gigantesque que je projette dans son esprit. Lorsque, de retour aux États-Unis, elle verra dans chaque obèse qu'elle croise dans la rue le reflet de sa fille détruite par son absence.

Je ne me lève que pour aller aux toilettes et dans la salle de bains. Papa m'apporte des plateaux-repas. Il ne sort que quand il est sûr que je n'ai besoin de rien. Telle est sa grandeur d'âme, pauvre père, qu'il est plié à mes exigences, et s'y soumet avec une volonté si constante que j'ai parfois envie de lui envoyer mon poing dans la figure. Je n'ai que faire d'un esclave ! J'ai besoin d'un – de quoi, d'ailleurs ? Pas d'un père agenouillé, pas d'une mère enfuie, pas d'une jumelle traficotée, pas de moi-même, surtout, que je hais tant qu'il me vient des envies de lacération de toute cette graisse. Le visage dans l'oreiller, je me laisse aller à un bel apitoiement, seul droit que je puisse m'accorder, puisque tout le reste m'est interdit.

Papa vient me voir pour jouer aux échecs ou au Scrabble. Il marche sur la pointe des pieds comme dans la chambre d'un mourant. Son visage est blême de fatigue et de tristesse. Je le préférais plein d'allant, même s'il jouait la comédie, même si je lui en voulais de rire quand je voudrais pleurer. C'était préférable à cette figure de paillasson sur laquelle ma mère aurait essuyé ses talons aiguilles. Je lui dis avec brusquerie de partir, d'aller se promener, d'aller prendre l'air, j'ai besoin d'être seule. Il ne m'arrivera rien. D'ailleurs, il ne m'arrive jamais rien. Que pourrait-il m'arriver entre mon lit et mon lit ? À part la mort. Mais ça, ce serait plutôt une bonne nouvelle.

Un jour, alors qu'il est parti, pauvre cœur aux yeux soulignés par des cernes mauvâtres, au dos de plus en plus voûté, à la pâleur carcérale, je décide, prise d'un besoin pressant, de me lever. Je me retourne sur le côté, précédée de mon ventre à la fois proéminent et flasque, je m'appuie précautionneusement sur un bras en me soulevant, déplace mes jambes en ciseaux et pose mes pieds à terre, je me hisse en position assise en tentant de répartir mon poids sur mon squelette malmené.

D'habitude, j'arrive à me soulever sans trop de peine à partir de cette position. Mon matelas est assez dur pour m'offrir l'appui nécessaire. Mais aujourd'hui, j'ai beau tenter de me redresser, je n'y arrive pas. J'essaie une fois, puis deux, puis trois. Je me repose un instant, reprends mon souffle, recommence. À chaque fois, à moitié levée, je retombe. Muscles disparus, fondus.

Je ne dois pas me laisser envahir par la panique. Attendre. Respirer. Calmer les battements de mon cœur. Rassembler ma volonté, qui triomphera enfin. Prendre un élan.

Hgggggggggggnnnnnnnnnnnn !

Éléphanteau se mettant maladroitement debout, je me redresse sur mes pattes troncs d'arbre. Je titube, mais parviens à garder mon équilibre, bras écartés. Poupon énorme qui fait ses premiers pas dans la jungle.

La station debout est un triomphe. Malgré tout ce qui me tire vers le bas, tous les excédents de graisse et de chair qui pendent comme une cire fondue, malgré l'attraction gravitationnelle de la station horizontale et l'irrésistible envie de me mouvoir par reptation, ma petite tête m'en empêche, m'interdit de m'effondrer, contredit mon corps et l'oblige à rester vertical. Ma raison est mon dernier rempart. Elle me retient du côté de l'humain. De l'autre côté se trouve l'animal qui m'attend.

Chaque pas désormais fait trembler le plancher. Chaque pas fait trembler la terre. Godzilla émerge des eaux. Je m'avance, majestueusement grotesque, vers la porte de ma chambre.

Et je m'y coince.

Il y a toujours une première fois. Mon ventre, en forçant un peu, est passé, mais mes hanches butent contre le chambranle et refusent de glisser. Je tente de reculer ; mais c'est maintenant mon ventre qui m'empêche de bouger.

Plus je gigote et plus je m'arrime. J'essaie de me mettre de profil – idée ridicule, je ne suis pas moins volumineuse ainsi – mais je n'arrive pas à me dégager. J'ai déjà du mal à respirer.

Je suis coincée.

Papa !

J'oublie dans mon accès de panique qu'il n'est pas là. La voix qui est sortie est menue et grêle, pas du tout celle d'un mastodonte, et je sais qu'il ne m'entendra pas. Le monde est hors de ma portée. Mon sang est une marée qui afflue en certains endroits de mon corps et se retire d'autres, mes pieds font une petite danse triste sur place sans parvenir à déplacer l'immensité qui les surplombe. Mes jambes ne me soutiendront plus longtemps, bientôt ma masse s'affaissera, encore et encore, dans son cadre de bois, jusqu'à ce que je meure, asphyxiée par moi-même.

Je me mets à pleurer. Je sais que cela n'arrangera rien, sauf à faire de moi un spectacle plus désolant encore lorsque papa arrivera et me verra, tassée dans un rectangle trop étroit pour moi et dégoulinante de regrets.

Je pense à la fois où papa avait mal engagé la voiture pour sortir du garage. Il avait dû reculer et avancer pendant de longues minutes pour parvenir à l'extraire. C'est sans doute ce que je devrais faire. Reculer un peu. Avancer un peu. Reculer un peu. Avancer un peu.

Mais je ne bouge pas d'un centimètre. Une arête du chambranle s'enfonce douloureusement dans ma chair. Il fait chaud. J'étouffe. La sueur dégouline de mon front. J'ai envie d'éternuer, mais cela pourrait être catastrophique pour mes organes. Je me retiens. Je respire lentement, m'efforçant de réfléchir aux solutions possibles. D'ailleurs, est-il vraiment besoin de solution ? Papa finira par arriver, je n'ai donc qu'à l'attendre. Ce n'est pas si difficile, malgré l'inconfort et le sentiment de claustrophobie et d'étranglement.

Et si papa décide de rester dehors toute la journée ?

Mourir à seize ans, coincée dans une porte.

Les larmes se font plus abondantes.

Les larmes du constat. C'est ce qui m'attendait depuis toujours, depuis le gavage inaugural amorcé par ma mère, poursuivi par mon père, et qui m'a amenée jusqu'ici, jusqu'à ce présent, jusqu'à cette fin absurde et grotesque d'oie emprisonnée dans une cage trop étroite. Il ne reste plus qu'à m'ouvrir le ventre pour en exciser mon foie, rose clair, marbré de gras, concentré de succulence. (Le foie gras d'un être humain est-il aussi exquis que celui d'une oie ?)

Mais je ne suis pas une oie. Je ne suis pas destinée à la table de convives pointilleux qui oublient d'où viennent ces tranches luisantes et fondantes, rainurées de blanc, qu'ils déposent dans leur bouche gourmande. (Une dissection à même la table pour leur en expliquer la provenance n'aurait pas le même effet.) Je ne serai pas dévorée, accompagnée d'un sauternes doré. Je mourrai étouffée par moi-même et on me dégagera en découpant le mur. Il faudra vingt hommes pour porter mon cadavre. Il faudra peut-être aussi le découper. Réduite à ma plus simple expression biologique, plus rien d'humain ne se verra dans ces morceaux détachés. À l'autopsie, le médecin légiste aura un sursaut horrifié en sortant mon cœur comme une fleur gigantesque de la cage thoracique. Il dira : Elle n'en avait plus pour longtemps, de toute manière. Un chou-fleur, voilà ce à quoi mes organes enrobés de graisse ressemblent. Mourir étouffée. Dans un linteau de porte. Tentant de sortir de ma chambre. Les gros titres des journaux. Illustrés de photos, peut-être.

L'œil virtuel qui me poursuit s'en révulserait de jouissance… Je comblerais le manque qui le tourmente depuis que je me suis retirée dans ma chambre et qu'il n'a plus accès à moi. Mes anciennes photos continuent

MISSION CULTURELLE FRANCAISE
972 5th AVENUE
NEW YORK, NY 10075

CREDIT CARD
Sale

XXXXXXXXXXXX9634 Exp: XX/XX
AID: A0000000031010
VISA Entry Method: Contact
CHIP READ

Total:

Resp Code: 00

Approval: Online

TRN Ref #:

Validation Code:

Rewards Program:

Ti
Poste

Qté Article

1 CARTE C
1 LES LIE
1 MANGER

TOTAL

Carte Banc

3 article

Code=Taux
0= 0,00%

tions quant à mon
es poursuivent leur
les images qui me
onstrueuse encore,
en de comparable
aurait lieu si l'œil
oyeuse curée ! Oh,
sée, piégée ! Jappe-
que cela soit trop
rrime à ma honte.
les hyènes vérolées
sur mon territoire,

monstres… Papa
après ? Se sentira-
timent de pouvoir
'en sais rien. Mon

n de me découper
ant de m'extraire.
en plus fatiguée,
es bras contre le
ger, mais l'effort

l'admettre. Je ne
battante. Ne me
dites … it. Sinon, malgré
la ter… mon lit pour de
bon, j… ever. Je me serais

pliée à la certitude que je n'étais qu'une déjection vouée à l'oubli. Les religions font tout ce qu'elles peuvent pour nous protéger du désespoir en nous empêchant de réfléchir à l'inutilité de notre existence, mais pour peu que l'on s'y arrête et qu'on se demande : quelle trace laisserai-je de mon passage, quelle lumière, quelle empreinte unique, qu'offrons-nous d'autre que notre poussière, nos cendres, nos riens, nos cassures, et une descendance qui n'a que faire de se rappeler de nous, quelle raison aurions-nous de résister, sinon cet espoir dément d'avoir un jour fait une différence ? Mais je ne peux me donner le droit d'abandonner, parce que ce que l'instinct me dicte n'est pas la vérité.

J'ai toujours voulu m'en sortir. Je n'ai jamais perdu cette foi-là, qui n'a rien de religieux. Rien que soixante-dix kilos à perdre. Ou cinquante. Ou vingt. Il suffisait d'y croire. Je m'imaginais, non pas mince, mais normalement grosse. Une femme grosse, c'est tout. Je n'ai jamais désespéré d'être juste une grosse.

Est-ce là mon erreur ?

Je n'ai pas pu. Je n'ai pu et ne pourrai jamais cesser de me nourrir. Je mourrai avant d'avoir maigri.

Ah Seigneur, je suis inondée. De larmes, de morve, de sueur. Et maintenant, après une heure d'attente, d'urine. Tout y est.

L'odeur même de ma vie, ammoniacale. C'est ça qu'il y a en nous, sais-tu, si on m'ouvre le ventre, ce qu'on verra, ce n'est pas un joli petit cœur rouge battant mais un amoncellement de viscères gris, gluants, puants. Ce que nous sommes, nous, êtres humains hantant nos hautes sphères, nous croyant à l'image des dieux.

Papa, où es-tu ? Comment peux-tu me laisser ainsi, seule, sachant combien il m'est difficile de sortir de ma chambre ? Que je risque de tomber, de me casser une jambe, un bras, le cou ?

Il ne te voit pas telle que tu es.

Oui, ça je le sais. Je le sais. Pauvre père amoureux. Pauvre hère amoureux.

Qui, de lui ou de moi, est le plus à plaindre ? Celui qui ne voit plus la montagne qui lui masque le monde, ou bien cette masse qui ne sait à quel moment l'air lui manquera ?

L'heure tourne. Mon corps est une symphonie de douleurs. Chacune se fait entendre à tour de rôle dans un solo lancinant, puis toutes s'élancent dans une chorale magistrale. Mon cou, mes jambes, mes bras, mon dos, ma tête, mon ventre, et à l'intérieur mon cœur qui détale, mes poumons qui se compriment, mon abdomen qui se tasse. Je subis une torture à l'ancienne. L'inquisition de ma propre chair. Le supplice de la pierre. Oh Dieu, délivrez-moi, je gémis, moi qui ne prie jamais.

Faites que papa revienne vite. Qu'il ne soit pas tombé en panne, n'ait pas eu d'accident, n'ait été emmené à l'hôpital sans savoir que sa fille est en train de mourir. Qu'il n'ait pas décidé de s'offrir un long déjeuner, commandant ses plats préférés et une bonne bouteille de vin qu'il finira à son aise parce qu'il fait beau et qu'il n'a guère de temps pour lui par ailleurs. Il respire le souffle printanier et il se sent léger, les clients du restaurant sont comme lui, minces et agréables à voir devant leurs jolies nappes blanches, leurs verres de vin, les femmes en tenue élégante ou légère et décolletée, sans personne pour les déranger par sa seule présence, personne qui gêne, qui exige d'eux un trop grand effort de tolérance.

Soudain, tout le haut de mon corps sombre. Mes seins s'affaissent sur mes cuisses. Ma nuque rentre dans mes épaules. La pression sur les os de mes jambes devient insoutenable. Mon dos se courbe tandis que les bourrelets se multiplient. Je regarde vers le bas. Mes seins semblent énormes. Ils sont poussés en avant et reposent sur mes cuisses, rehaussés par un Wonderbra surnaturel.

Je ne les avais jamais vus aussi imposants, presque voluptueux. Mais, ainsi serrés, ils me compriment et m'empêchent de respirer. Mon souffle devient un râle. Je sais que je ne survivrai pas longtemps. Peut-être est-ce mieux ainsi. Au moins mourrai-je en me sentant femme.

Enfin, enfin, la porte d'entrée s'ouvre.

Je suis là, mes chéries, *anybody home ?*

En entendant la gaieté de sa voix, à mon soulagement se mêle une colère fatiguée. Non, il n'y a personne, ta fille légère s'est fait la malle il y a belle lurette, elle a pris la poudre d'escampette, elle s'est envolée pour l'ailleurs que tu n'as pas su lui offrir !

Il écoute, n'entend que le silence. Je ne tape pas du pied, trop épuisée. Je sens son inquiétude. Il monte quatre à quatre les marches de l'escalier. Et se retrouve face à une loque défaite, moitié dedans, moitié dehors, le visage cramoisi, larmoyante, à bout de souffle.

Sa réaction terrifiée est digne de celle d'un père. Il aurait pu hésiter, céder à la tentation de me laisser là, de repartir, et de jurer par la suite être arrivé trop tard, Dieu du ciel, quelle tragédie, s'il était rentré une demi-heure plus tôt, peut-être que… Et je l'aurais compris. Mais non, papa réagit aussitôt, aveuglé de terreur, *t'en fais pas ma chérie, je vais te sortir de là*, tremblement des lèvres et des cordes vocales qui dément ce qu'il vient de dire, et il inspecte ma position, sort son téléphone, vite les grands moyens, le Samu, les pompiers, mais aussi un charpentier, parce qu'il sait qu'il faut quelqu'un qui comprenne le bois et sache dégager les objets lourds avec délicatesse, lui-même, l'architecte, s'assurera que rien ne me tombera dessus lorsque l'encadrement de la porte sera enlevé.

Tandis qu'il attend l'arrivée des secours, il se penche vers moi, son visage contre le mien, sa bouche à quelques millimètres de la mienne.

Il ne t'arrivera rien, chérie. Crois-moi.

Une supplique aux saints des obèses. Il va me chercher un verre d'eau avec une paille, il m'essuie tendrement le visage, le nez, la bouche gluante, les yeux qui n'ont pas fini de larmoyer, puis tente de glisser sa main entre l'arrête de bois et le côté de mon corps, mais l'ajout d'une pression provoque une douleur telle que je hurle.

Il murmure « Pardonne-moi », pâle et terrifié, jamais il n'a été aussi conscient des dangers que représentent pour moi les objets les plus simples, une porte, Seigneur, juste une porte et ma fille peut mourir, il marche de long en large dans le couloir, rejouant les alternatives, s'il n'était pas sorti, s'il était rentré plus tôt, s'il était rentré trop tard, si, si, si… jusqu'à ce qu'il entende les sirènes.

Ils sont une douzaine, tous des hommes, pompiers et ambulanciers, plantés là, pétrifiés de stupeur. Incrédules, incapables de prononcer le moindre mot. Des yeux. Démultipliés (vingt-quatre), braqués sur moi, rôdant, scrutant, englués à mon corps. Leur cerveau ne parvient pas à tout saisir d'un seul coup d'œil. Ils n'y croient pas, refusent de comprendre la réalité de la chose.

(Oui, une chose. Énorme. Coincée. Impossible.)

Le poids des regards, comme lors de la journée sportive. Cette fois, je suis vraiment au pilori.

L'horreur initiale se dilue à mesure que leurs yeux s'habituent. Un ricanement étouffé, déguisé en toux. Ne pas se regarder les uns les autres, surtout ne pas rire : ils ont conscience de ma souffrance, de celle de mon père. Tous des hommes. Grands, remplissant l'espace de leur stature, si sûrs d'eux-mêmes, sûrs de leur présence, de leur *raison d'être*.

Happés par le vertige de savoir que quelque chose comme moi existe. Ils sont bien incapables de m'aider.

Mes larmes redoublent, mes dents grincent, mes mains, si elles n'avaient été aussi engourdies, se seraient transformées en griffes, une violence qui me défigure et me fait gonfler encore plus et me terrasse. Je me mets à couiner tandis que je tente de reprendre mon souffle.

Papa vient à ma rescousse.

Espèces d'abrutis, vous ne voyez pas qu'elle étouffe ? Faites quelque chose !

Les ambulanciers, se réveillant de leur léthargie, sortent l'oxygène, m'appliquent un masque sur le visage, me disent de respirer lentement. Les pompiers commencent à discuter de la procédure pour me dégager. Le charpentier, lui, se fait attendre.

Lorsqu'il arrive enfin, les autres ne se sont pas encore mis d'accord sur la marche à suivre. Ambulanciers et pompiers se disputent presque. Lui évalue aussitôt la situation. Puis d'une voix calme, mais avec une autorité incontestable, il demande à tout le monde de s'écarter. Je l'observe avec méfiance et espoir à la fois. Il se met devant moi et me dissimule en partie aux regards des autres, empaquetés dans le couloir avec leurs uniformes épais, leur aigre odeur d'homme, de cigarette et de sardine. Je perçois chez lui une étrange sympathie amusée, un sourire secret qui n'est pas une moquerie mais plutôt une complicité, comme s'il me disait : Ah, jeune fille, tu t'es fourrée dans un sacré pétrin, mais t'en fais pas, je vais te sortir de là. Pas un instant il n'a semblé surpris ou choqué par mon apparence. D'un doigt, il écarte une mèche de cheveux qui me colle au front.

Il expose sa solution aux pompiers. Ils semblent d'abord sceptiques, puis hochent la tête. Après tout, ils n'ont rien trouvé de mieux jusqu'ici. Il donne des instructions à mon père.

Je dois vous débarrasser de vos vêtements, ils vous empêchent de glisser, me dit-il. Je suis désolé.

J'acquiesce en silence.

Il commence par découper aux ciseaux mon sweat et mon pantalon pour dégager ma peau. Chirurgien du textile, morceau par morceau, bribe après bribe, je ferme les yeux, les lambeaux de tissu s'évadent sous le crissement des ciseaux comme si un insecte les grignotait avec un appétit minuscule mais résolu. Un contact froid et singulier, une respiration concentrée.

Moi en sous-vêtements, il n'y a donc pas de limite à mon humiliation. Les regards s'effilochent. Oui, voyez ce que la nature peut faire. Un poulpe naufragé qui ne se bat plus que faiblement. Mais un poulpe n'aurait pas honte. Ne se sentirait pas violé par ceux qui l'observent. Ne penserait pas à l'histoire qu'ils raconteront, ce soir, une fois rentrés chez eux : Tu croiras pas ce que j'ai vu aujourd'hui… Ça débordait de partout, coincée, qu'elle était, dans une porte large comme ça…

Sans se décontenancer, le charpentier prend la bouteille d'huile qu'il a demandée à mon père. C'est l'huile d'olive qu'il utilise pour cuisiner, sa précieuse huile première pression qu'il fait venir à grands frais du sud de l'Italie, et qui va maintenant servir à me libérer comme un bébé nouvellement baptisé. L'huile coule sur mon corps, tiède et épaisse. Sa main l'applique consciencieusement sur ma peau. Je ne suis plus qu'un objet à déloger. Un bouchon récalcitrant. Un iceberg de graisse qui obstrue les égouts. Rien qui me permette de me sentir encore un peu humaine. C'est mieux ainsi. Finissons-en avec les illusions.

Avec une petite scie fine, il se met à creuser, millimètre par millimètre, le bois qui m'emprisonne, repoussant ma chair là où il introduit la lame afin de ne pas me blesser. Une lime minuscule lui permet ensuite d'aplanir les échardes qui pourraient me déchirer la peau.

Un long, lent travail de décapage, d'excision. Scie, lime, scie, lime, je n'en peux plus, je me tasse encore plus, mes tibias vont se briser.

Il s'arrête et me dit : Je sais, c'est difficile, mais ce sera bientôt fini. Je vais vous soutenir pendant que je travaille. Patience. Et il cale mon corps contre le sien, il soulage mes appuis, me soutient de ses jambes, de son torse, je me laisse aller, parvenue bien au-delà de l'épuisement.

Son corps contre le mien tandis qu'il œuvre avec la minutie patiente d'une fourmi soldat. Mais au bout d'un instant, dans cette proximité extrême, se presse aussi contre moi un sexe durci. Et sa bouche chaude me murmure, pour que je sois seule à l'entendre : Je suis vraiment désolé, mais c'est plus fort que moi.

Il me jette un coup d'œil et je ne peux m'empêcher de sourire. Malgré la souffrance et la honte, le mépris envers moi-même, la conscience de ma monstruosité que je lis dans les yeux de ces hommes, en dépit de tout cela, je souris à cet homme aux doigts habiles, et je m'imagine ces doigts, et ce sexe, à l'intérieur de moi. Alors seulement, je commence à respirer plus profondément.

Mon père nous regarde, ses sourcils se froncent mais il sait qu'il ne peut rien dire. Lorsque l'homme demande plus d'huile, il lui fait signe de s'écarter pour m'oindre lui-même. Mon père est dévasté, mais je lui glisse : Ce sont des choses qui arrivent, papa. Il hoche la tête, même s'il sait que cela n'arrive justement pas aux autres. Seulement à moi. Seulement à nous. Ses siamoises secrètes.

L'huile commence à faire son effet maintenant que les arêtes se sont quelque peu écartées. C'est encore une fois le charpentier qui propose de faire glisser un matelas mou sous mes jambes de manière à l'étaler derrière moi. Papa va chercher un matelas en mousse qu'il garde pour les amis qui ne viendront jamais et ils le mettent en place.

Le charpentier jauge mon emprisonnement en appuyant ses deux mains contre mes épaules. Je me sens bouger, très légèrement. Il appuie encore, le mouvement se confirme.

Prête ?

Je hoche la tête. Il dit aux autres : Il va falloir pousser et la retenir en même temps pour qu'elle ne tombe pas trop lourdement.

Ouais, c'est ça. Bonne chance. Ils me désarticuleront les bras, c'est sûr !

Ils s'y mettent à plusieurs, leurs mains partout sur moi, sur ma peau huileuse, sur mes épaules, sur mes jambes, sur mon ventre, sur ce corps qu'aucun homme sauf mon père n'a encore touché, et qui, pour eux, n'en est pas un. Certaines mains sont prêtes à pousser, d'autres s'apprêtent à me retenir par les parties qu'ils peuvent saisir.

Un, deux, trois, allez-y ! crie-t-il.

Ils appuient ensemble et, dans un bruit de ventouse, je me détache, je glisse hors du chambranle, je mouline des bras en perdant l'équilibre, ma peau huilée échappe aux mains et je tombe à la renverse, lourdement, à en faire trembler la terre entière, sur le matelas qui amortit à peine ma chute.

Le soulagement d'être allongée est tel que je ne pense pas aux bleus qui constelleront bientôt mon dos ; tel que je ne perçois pas leurs cris de triomphe, leurs rires de joie, la fraternité de sauveurs qui émane d'eux.

Le charpentier est à mes côtés avant même que papa ait eu le temps de reprendre ses esprits.

Ça ira, ma grande ? dit-il, penché sur moi, les yeux remplis d'une invraisemblable compassion.

Je fais oui de la tête, incapable de trouver ma voix tandis que je tente de lui exprimer ma reconnaissance. Ma gratitude de m'avoir sortie de là. D'avoir su quoi faire. Et de m'avoir regardée autrement. Il me caresse le visage d'un geste curieusement tendre.

Faites gaffe la prochaine fois, dit-il.

Il range ses outils, les ambulanciers retrouvent leur assurance pour m'examiner et prendre ma tension, papa me recouvre d'un drap, les pompiers conseillent à mon père, bien inutilement, de faire agrandir toutes les portes, et je le cherche des yeux mais il est déjà parti, j'entends ses chaussures dans l'escalier, un sifflotement gai, le sifflotement d'un homme étrange, encore à même de s'amuser de la vie et de ne pas juger la grosse baleine coincée que je suis mais de la voir comme une créature qui mérite l'intérêt et la compassion.

Je ne sais plus à quel moment je me suis endormie, soulagée comme une femme qui vient d'accoucher, alors que c'est moi qui l'ai été – d'une porte.

Pendant des jours, la frayeur m'enchaîne à mon lit. Terreur, tremblements, cris et gémissements. Papa fait tout pour me persuader de me lever, il m'assure qu'il sera à mes côtés, qu'il ne me laissera pas me coincer de nouveau. Mais l'ouverture de la porte est une gueule de Léviathan qui m'attend.

Peur d'une porte. Peur de ne plus jamais pouvoir. Mais pas seulement. Peur du franchissement impossible. De l'emprisonnement qui s'annonce. Peur de l'interdiction de passer outre, d'aller de l'autre côté du miroir noir des choses, de ne plus pouvoir appartenir au monde, même pas à ma propre maison, à mes propres lieux, et le monde se réduit à ma chair, le monde est mon corps, le seul lieu que je connaisse désormais, mon seul refuge et ma seule géographie, poursuivie par les yeux mâles qui dressent leur haut jugement en barres de métal devant moi, par ces mains qui m'ont retenue et poussée, huileuse, huilée, hurlante, refermées sur mes paquets de viande molle jusqu'à ce que je m'effondre à leurs pieds.

L'emmurée vivante, à partir de ce jour où je ne suis plus parvenue à franchir une porte.

C'est ce qu'il m'est arrivé. C'est ce que j'ai toujours craint.

Noir.

Puis surgit une lumière. Alléluia ! Papa a fait appel au charpentier-accoucheur pour élargir la porte de ma chambre. Je pensais qu'il se serait méfié de lui après la façon dont il s'était collé à mon corps, même si personne n'avait remarqué sa tumescence (mais papa a l'œil d'un père, et il aura perçu le courant charnel entre nous), mais je me trompais. Papa est plus grand que ça. Lorsqu'il m'a dit que le charpentier viendrait aujourd'hui, le jour a acquis des ailes et mes joues ont rosi comme la plus frêle des fleurs à tige mince et corolle de dentelle. Je l'ai attendu comme une adolescente attend son premier rendez-vous. Je n'ai encore vécu aucune expérience de ce type, personne ne m'a invitée nulle part, aucun garçon de mon âge n'a jamais manifesté le moindre intérêt envers moi, sauf pour m'envoyer des jets de moquerie haineuse à la figure. J'ai toujours été trop menaçante pour eux. Mais aujourd'hui…

Pour la première fois, je pense à autre chose qu'à mon ventre. Je demande à papa de m'aider à me doucher, même si on ne peut plus fermer la porte de la douche et que nous inondons d'eau et de savon la salle de bains tout entière, et des bulles s'élèvent, flottant sur mon bonheur irisé. Mes yeux brillent et me brûlent. Les siens me disent qu'il a deviné pourquoi et qu'il a peur de l'inévitable déception vers laquelle je me dirige, sa pauvre fille fourvoyée. Je m'asperge de parfum, je peigne mes longs cheveux. Et me recouche aussitôt. Cette fois, le charpentier me verra en femme allongée plutôt que comme une masse à peine verticale coincée dans le cadre d'une porte. Et puis, les joues roses, les yeux maquillés, légèrement parfumée, je n'ai plus rien à voir avec le morceau saignant accroché au linteau qu'il a vu la dernière fois.

Je le reconnais à son sifflotement. Oh, cœur qui bat ! Peuplade d'insectes éveillée dans mon corps ! Allongée dans mon lit, j'ai pensé : tiens, revoilà mon bel énergumène. Celui qui sifflote plutôt que d'être triste (un peu comme papa).

Il frappe sur ledit linteau et entre sans attendre. Je cligne des yeux, il me semble que le soleil a changé d'angle et de luminosité. Un air printanier se dégage de ses épaules.

Ça va, la petite demoiselle ? demande-t-il.

Malgré moi, je souris. Je ne perçois aucune moquerie dans le terme « petite » qui n'a pas été utilisé à mon égard depuis dix ans au moins, et « demoiselle »... ah, le beau mot ! Je suis une demoiselle, c'est vrai ! Une demoiselle de seize ans ! Une damoiselle, même, pâmée sur sa couche bleu et or !

Oui, puisque vous êtes là ! dis-je. Et j'ajoute, inspirée : Mon sauveur !

Il éclate de rire. Quelque chose tourbillonne dans mon corps, et ce n'est pas la faim. Les insectes, devenus papillons. L'horizon s'élargit, escalade un pic d'inattendu. Je n'avais encore jamais rien entendu de tel. Un rire mâle, une cascade rocheuse et abondante qui gronde d'un bonheur liquide. Le rire de quelqu'un qui possède l'univers sans avoir à y réfléchir, qui peut mettre ses bottes de sept lieues et s'en aller là où il le veut avec un sac à dos pour tout bagage, un homme leste et sans lest. Tout mon contraire.

Objectivement, il ne paie pas de mine. Il porte des vêtements défraîchis, bâillant de partout, chandail effiloché, jean troué, ses ongles sont noirs, le bout de ses doigts jauni par la nicotine. Ses dents aussi. Sa peau est tavelée comme par une pluie de météorites. Mais n'est-ce pas cette odeur d'ailleurs qui m'attire ? Les cendres des volcans qu'il aurait bravés ou la sève des forêts où il se serait aventuré ? Comme s'il était venu tout droit d'une autre planète ? L'homme me semble beau. L'homme est d'une splendeur insoupçonnée. Je le lis dans ses yeux. Marron clair dans la lumière, gris-noir dans l'ombre, troubles de promesses.

Je n'ai pas souvent de clients aussi reconnaissants, dit-il.

Parce que vous faites mal votre travail ?

Parce que je fais mon travail et que je suis payé pour. On félicite les médecins et les pompiers. Moi ? C'est un échange commercial pur et simple.

Sauf lorsque vous libérez une obèse d'une porte.

Il sourit.

Faut pas vous donner des noms inutiles. Il y a assez de gens dehors pour le faire, vous ne croyez pas ?

Tant de douceur dans sa voix que je demande, sans réfléchir :

Vous n'auriez pas trente-trois ans, par hasard ?

Au lieu de m'interroger, il s'agenouille devant mon lit.

Et moi qui me croyais incognito ! dit-il. Mais pour préserver mon anonymat, mes parents m'ont appelé, plus prosaïquement, René.

Mon père arrive et le voit ainsi, et nos sourires partagés. Son visage s'éteint, son regard se charge d'une crainte, d'un regret, d'une tentation de colère, comme si des pulsions ataviques s'éveillaient dans cet homme d'habitude si calme. Je me demande s'il va le jeter dehors. Je me demande s'il va s'enfuir pour ne rien savoir. René se remet debout, regarde mon père en face. Quelque chose passe entre eux. Un secret d'homme dont je suis exclue. Pourquoi le serais-je ? Que se disent-ils que je n'ai pas le droit d'entendre ?

Je suis le boulet attaché à la cheville de papa, tandis que René, lui, est libre, libre de partir ou de rester, de me sourire ou de m'ignorer, de me voir et de m'oublier. Cette liberté qu'ont les hommes, y compris dans leur apparence, m'a toujours fait envie et je voudrais maintenant la saisir à pleins bras pour qu'elle soit mienne, pour qu'il soit mien et ne s'envole pas. Pas trop vite, en tout cas. Mais je ne veux pas que papa perçoive mon espoir trop clairement. Ou qu'il compare la chose couchée, la gisante massive, à l'homme mince qui la surplombe de ses ailes, et ne voie dans cette image qu'une mascarade grotesque.

Un tableau, peut-être ? L'odalisque plantureuse et parfumée ? Cheveux mouillés étalés sur l'oreiller, gouttes d'eau et de sueur perlant sur la peau, la lumière s'insinuant dans ses interstices ? Y a-t-il un regard possible pour découvrir en moi de la beauté ?

Oh, mes pauvres, pauvres folles, soupire mon père en silence, avant de choisir la fuite. René n'aura jamais envie de gélatine humaine.

J'entends la voiture qui démarre. Aussitôt, en quatrième vitesse, René est assis sur mon lit. Je n'ai pas le temps d'être surprise.

Je peux fumer ?

Oui.

Il allume une cigarette avec des gestes précis, aspire fortement, exhale la fumée qui m'enrobe d'une caresse cendreuse. Il s'installe, comme si nous étions deux amis de longue date. Je le regarde en douce. Il n'y a jamais eu d'autres hommes dans ma vie que papa. Je n'ai guère eu l'occasion de sentir l'étrangeté de ce corps si différent du mien, ombre des poils sur ses mâchoires anguleuses, ces marques de vie qui semblent si bien s'accorder au poids de son regard, à la lave ardente de ses yeux, l'expression un peu triste, un peu malicieuse de sa bouche, comme si elle n'avait pas encore tranché entre peine et bonheur, ou qu'il dépendait de moi seule que le sourire apprivoise sa mélancolie.

Légère odeur de moisi se dégageant de ses encoignures.

Il y a beaucoup de façons d'être seul, dit-il. Je le suis autant que vous. Nos barrières sont différentes, c'est tout. Ça ne veut pas dire qu'on ne peut pas se rencontrer, se connaître. Et plus, si affinités ?

Je suis stupéfaite. Que veut-il dire ? Et ce frottement de sa cuisse contre ma hanche, ce poids léger dans mon lit navire, mon lit naufrage, comme s'il y avait trouvé sa place ? Et cette chaleur intime qui se dégage de lui ? Y a-t-il une intention dans le regard qu'il pose sur moi ? Ou espère-t-il une expérience morbide dont il pourra se vanter auprès de ses amis, autour d'une bière, celle d'avoir baisé une femme de presque deux cents kilos ? Mais les yeux qui m'observent en toute franchise, filtrés par la fumée, cet air de guerrier fatigué, ne sont pas ceux d'un homme qui me méprise. C'est un homme qui me voit.

L'odeur de la cigarette dans ma chambre est une expérience nouvelle. Je me sens adulte. Complice. Je la hume profondément.

Vous en voulez une ? demande-t-il.

Tant que nous y sommes… Je hoche la tête. Je tente de me mettre en position assise, mais c'est trop difficile, il comprend aussitôt, se place derrière moi, une main dans mon dos, la clope collée à une lèvre, l'autre main tassant efficacement les oreillers, et je suis plus ou moins relevée, consciente des masses réunies de mes seins et de mes ventres formant des convexités multiples sous la soie de ma jolie robe de chambre, et je suis saisie d'un bonheur énorme et sulfureux.

Je prends la cigarette qu'il me tend et le laisse me l'allumer. Pour une fois, je me sens sophistiquée tandis que j'aspire sans tousser. Une onde tiède me pénètre. Je l'exhale par les narines. Il fait de même, en parfaite symétrie. C'est un souffle étrange, chimique et organique, une bouffée issue de nos bouches qui nous unit presque plus intimement qu'un baiser (mais qu'en sais-je ?).

C'est votre première fois ? demande-t-il.

La question est ambiguë. Je ne sais pas quoi répondre. J'ai tellement peur du mot de trop qui briserait la délicieuse complicité entre nous, ou qui me ferait comprendre que tout cela n'était qu'une duperie de mes hormones.

Mes premières fois sont toujours tristes, dis-je enfin. Tout ce qui m'est arrivé d'important, ce sont les records que mon corps me fait battre depuis que je suis née. Il n'y a pas de quoi être fière.

Tu crois que t'es la seule à ne pas te sentir importante ? Moi je ne suis qu'un charpentier, dit-il. Pas le sauveur que tu t'imagines. Je n'existe pas en mon nom propre. Pour la plupart des gens, je suis René tout court, pas de nom de famille, pas de patronyme, je suis René pour tous, juste quelque chose qu'on ne voit pas, pareil aux meubles ou aux toits que je répare. Finalement, je préfère être ami avec le bois, au moins il n'exige rien de moi et il me rend bien ce que je lui donne. On peut penser que c'est triste, mais pour moi, non.

Il tire sur sa cigarette et libère la fumée au-dessus de moi. Je perçois l'intensité du geste, le creux de son visage lorsqu'il aspire, l'eau trouble de ses yeux, curieux assemblage qui n'appartient à aucun archétype, jeune vieux beau laid attirant repoussant, rien de tout cela ne le décrit vraiment.

Le bois est votre ami ? dis-je en souriant.

Oui, le bois m'accompagne, mademoiselle, il me parle oui, il ne se pliera pas aux soins maladroits d'artisans qui ne l'aiment pas, tandis que moi, je l'aime avec passion depuis que je suis môme et que j'explorais, en couches, l'atelier de mon grand-père ébéniste ! Je l'ai vu transformer le bois en eau. Je te l'assure, ce n'était pas l'outil qui créait la forme des meubles mais sa paume, elle suivait le mouvement, elle s'appuyait sur la chair du bois et y imprimait une ondulation, une courbe, comme une vague. L'eau née des mains de mon grand-père était d'une couleur ambrée, pleine de reflets. Et je croyais entendre une marée lointaine.

Alors que l'après-midi se fait doux comme un chat ronronnant et à moitié assoupi, René se met à me raconter sa vie, tout naturellement, allumant une cigarette après l'autre, tapotant la cendre dans une soucoupe traînant à côté de mon lit sans s'imaginer combien cela déplairait à mon père, faisant parfois des gestes de ses bras, exposant un poignet maigre, un avant-bras beaucoup plus blanc que le reste de son corps, et c'est à peine si je l'écoute tant sa voix me berce.

Il marchait, me dit-il, à quatre pattes dans l'atelier et ramassait les copeaux qui traînaient par terre, il passait des heures à jouer avec, et, prenant goût à leur saveur, il finissait par les avaler. C'était devenu une manie : dès qu'il entrait dans l'atelier, il se goinfrait de particules de bois sans deviner qu'elles nourriraient son imagination à défaut de son corps. Il ne s'attendait pas non plus à ce que cela déclenche une guerre entre sa mère et son grand-père. Elle l'a accusé de voler l'amour de son enfant. Il l'a accusée de ne pas lui en donner assez. La lutte entre eux n'a fait que s'aggraver. Un jour, sa mère lui a interdit l'accès à l'atelier. Il a eu l'impression d'être banni du paradis.

En l'écoutant, je comprends qu'il m'offre quelque chose de précieux, en se livrant ainsi à moi avec ses mains tachées, sa voix grumeleuse, l'air d'usure qu'il dégage. Je sais que tout cela sert aussi à me faire oublier, pendant quelques instants, la manière dont nous nous sommes rencontrés – le gros tas coincé dans l'embrasure d'une porte. Telle est sa délicatesse d'homme.

Mon grand-père aimait la vie avec une passion stupéfiante, poursuit-il. Quand il riait, c'était comme si tout son corps entrait dans ce rire, quand il mangeait ou buvait, chaque bouchée et chaque gorgée participaient pleinement à son bonheur. Alors que ma mère, tout le contraire. Elle était de ces gens qui ne se sentent bien que quand ils peuvent dire non. Et pas seulement. J'ai longtemps cru que c'était normal, tu sais ? Une mère qui tabasse, et cette manière qu'elle avait de plisser les lèvres quand elle me voyait, de dégoût ou de colère, j'en savais rien. Du coup, mon grand-père était devenu mon héros. J'ai attendu mon heure pour pouvoir être avec lui et devenir lui. Être tout, sauf ma mère à l'odeur aigre de figue séchée qui voulait m'interdire la vie.

À quinze ans, il la dépassait déjà d'une tête. La dernière fois qu'elle a levé la main sur lui, elle a vu son grand corps raidi, ses dents serrées et sa main levée, pareille à la sienne, et elle a reculé. Elle a eu peur de lui, sans comprendre que toute cette haine venait d'elle seule, qu'elle seule avait creusé ce trou. Il l'a quittée pour rejoindre son grand-père, qui aimait le bois et les femmes d'une même passion.

Mais pas n'importe quelles femmes, oh non ! Celles que son grand-père aimait, c'étaient les femmes bien en chair. Il tapissait ses murs de leurs images et disait à René qu'il les avait toutes bibliquement connues. Il les prenait en photo, presque entièrement dévêtues, les collait partout dans l'atelier, et René a appris, dès son enfance, en contemplant les replis et les vagues, les bourrelets et les monticules, les collines et les vallons des femmes grosses, à les aimer. Son grand-père prenait ces photos dans un « studio » de fortune derrière l'atelier, les femmes étaient rieuses et généreuses, et ce lieu était pour René le plus chaleureux qui soit : il n'a jamais oublié comment, tout petit encore, elles le prenaient dans leurs bras et le caressaient, comment il découvrait, abasourdi, heureux et terrifié à la fois, leurs peaux soyeuses, leurs poils doux ou drus, roux ou bruns ou blonds, leurs bouches trop rouges pour être vraies, leur parfum étrange de sueur et de musc, d'ail et de chocolat – parfois il devinait des creux rouge sombre aux scintillements humides qui faisaient galoper son cœur.

Il a appris son métier grâce à son grand-père, heureux tandis que le monde des artisans se mourait, et il a adopté en même temps sa passion pour les femmes généreuses de leur corps et de leur rire.

Tout ça pour te dire, ma grande, que je ne pourrai jamais aimer une femme maigre – elle aurait toujours le visage de ma mère !

Je rayonne, ronronne de bien-être. Je ne me dis pas que cette déclaration est un peu trop facile : je n'ai jamais entendu une phrase aussi belle. A-t-il prononcé le mot « aimer » ? L'a-t-il dit en me regardant ? Mon corps pousse un air d'opéra. Et quand sommes-nous passés du « vous » au « tu » ?

Ses doigts jouent machinalement avec mes cheveux. D'une familiarité délicieuse et poignante à la fois. Je ferme les yeux et tente d'en préserver le souvenir à jamais.

Et ensuite ? ai-je demandé.

Tu veux vraiment tout savoir de ma vie ?

Oui.

J'ai eu quelques bonnes années avec le vieux, quelques belles années. Le temps de grandir, peut-être. Après… les choses ont pris une autre tournure. Quand je rencontrais une fille qui me plaisait et que je lui disais que j'étais charpentier, c'est comme si j'éteignais d'un seul coup quelque chose en elle. Même pas une lumière dans les yeux, non, rien d'aussi joli : la conscience d'une possibilité. Je voyais disparaître les possibles dans l'instant. J'étais pourtant agréable aux filles, tu sais, je n'étais pas particulièrement beau mais pas contrefait non plus, le juste milieu, si l'on peut dire, je n'avais pas encore les dents et la peau bousillées, mais en une seconde elles voyaient leur vie avec moi et la porte se refermait parce que je n'offrais rien, ni argent ni confort ni position, j'étais un résidu du passé, quelque chose d'archaïque, elles pensaient que personne n'avait besoin de moi, de mes outils ou de mes ongles noircis par la poussière du bois. Je ne leur présageais qu'une descente inévitable dans l'échelle sociale, et voilà qu'elles regardaient ailleurs, leur sourire se figeait et s'effaçait, tout ça très subtilement, l'air de rien, et le haut du corps pivotait vers le voisin de droite ou de gauche, je devenais invisible. L'artisan invisible, voilà ce que j'étais ! Tu vis sur les bords, presque sur le vide, là où les rites des gens ne t'atteignent pas. Tu ne fais plus partie de rien.

Ainsi m'a-t-il parlé, René, travaillant avec une lenteur d'escargot pour faire durer le temps, m'offrant le livre de sa vie, celui auquel j'ai cru sans réserve, celui que j'avais peut-être toujours eu envie d'entendre ou d'inventer.

Un jour, pourtant, est survenu un miracle auquel il a cru : une famille bourgeoise lui ayant demandé de réparer des boiseries anciennes dans leur demeure, il s'est lié d'amitié avec leur fille. Petit à petit, au gré de leurs conversations, elle a semblé voir, au-delà de son métier et de ses origines modestes, l'homme qu'il était vraiment. (Le René que je vois aussi, à chaque sourire, à chaque mot, à chaque bouche, à l'ombre portée de ses surfaces et de ses gestes, tandis que je tombe tout aussi aisément amoureuse.) Elle sortait, semble-t-il, d'une rupture difficile et d'une dépression qui l'avait fait terriblement grossir. Elle se trouvait laide. Mais elle était prête à être aimée, peut-être par n'importe qui. Or, René n'était pas n'importe qui. Il était un bel amant. Un homme aimant. Ils ont vécu quelque chose de furieux – était-ce l'amour ?, ils n'en savaient rien, mais peu importait. Défiant les regards et les jugements, n'écoutant pas leurs amis qui leur disaient qu'ils faisaient fausse route, ils se sont mariés avec seulement deux témoins, croyant à leur bonheur tandis que leurs mains, plus lucides, tremblaient en se passant la bague au doigt.

Ils ont vécu dans un deux pièces sans chauffage, dans un immeuble quasiment en ruine. Passion d'un temps, peut-être déjà vouée à l'échec, refusant les miroirs, défiant la réalité, oubliant ses rêves d'avant, les belles voitures dont elle avait l'habitude, le statut social qui lui semblait acquis. Elle s'est accommodée des vitres cassées, de l'eau coupée, des champignons qui poussaient dans les encoignures et sous les ongles de ses orteils. Petit à petit, par la force des choses, elle a maigri. Elle a recommencé à se trouver belle. À désirer des objets inutiles qui ne lui avaient pas manqué jusque-là. Un peu de mascara sur les cils, une paire d'escarpins aux douces couleurs, une jupe virevoltante qui parlait d'envol.

Au bout d'un an elle est partie. Prenant ce qu'elle pouvait prendre, et qui n'était pas grand-chose. Elle est retournée dans la maison cossue de ses parents. Lui s'est retrouvé à la rue.

Je travaillais un peu, dit-il, je tentais de survivre, je savais que les rapports fragiles basculent trop facilement lorsque l'argent vient à manquer, lorsque les regards se chargent d'un reproche parce que, tu vois, l'amour ne survit pas à cela, mais c'était une époque où les métiers comme le mien disparaissaient. De plus en plus, les machines faisaient tout plus efficacement et moins cher. Il ne restait plus que trois personnes sur un chantier, et souvent ces travailleurs étaient venus de loin, et eux aussi cherchaient à sortir de l'impasse.

Un jour, tes vêtements, ta mine, tes dents et tes cheveux te trahissent. Ceux qui pourraient t'employer voient tout cela, et une porte se referme en eux aussi. Ces mains qui savent caresser le bois ne sont plus bonnes à rien. La chute, impossible à imaginer, est plus rapide qu'on ne le pense. Personne n'y croit, mais elle est là, à tes pieds, attendant que les circonstances te poussent en avant et que le sol se dérobe.

D'un deux pièces pourri au trottoir, il n'y a qu'un seul pas. Juste une porte claquée. Et un gouffre entre. Impossible à saisir, à braver, un océan d'incertitude.

Un pas, et tout est franchi. Y compris le point de non-retour. Au-début, tu prétends que c'est rien. C'est temporaire, demain tu trouveras un logement, et encore demain. T'es pas un sans-abri, pas encore. T'es pas comme ces gens aux lèvres fendues, aux yeux morts, aux mains crasseuses. Mais tu lèves le visage et ce que tu reçois, c'est la pluie ou la fumée des voitures et un monde bien trop grand pour te servir de refuge. L'absence de cloisons est une condamnation. Livré aux regards, d'abord tu te sens nu, exposé, puis tu te rends compte qu'ils t'évitent, et c'est bien pire. Tu voudrais qu'ils te voient ; mais ils te refusent.

La fumée fait des boucles autour de ses paupières, lui donnant l'air d'un animal nocturne.

J'ai passé plusieurs mois dans la rue. Alors, tu vois, je sais ce que c'est que de ne connaître, pour tout rapport humain, que le mépris et le dégoût. Et aussi ce que peut un regard qui ne flanche pas lorsqu'il se pose sur toi. Quand tu comprends enfin que quelqu'un, quelque part, a décidé de ne pas laisser s'éteindre tes yeux. Quand quelqu'un fait un autre choix.

René me livre sa solitude et le partage de ses jours et de son corps comme une nourriture secrète ; mon égal, mon commensal. Et puis, à un moment, le silence s'installe, enrichi. Je n'ai pas besoin, moi, de parler. Il comprend tout, sait combien le regard des autres à la fois expose et interdit. Annihile et amplifie. Aux marges extrêmes de la vie, nous parvenons en ce lieu où il n'est plus besoin de dire.

Ses yeux voyagent tranquillement sur mes profondeurs, sur mes houles, et il sait.

Mes larmes sont cachées par mes paupières fermées, mais il sait.

Ma bouche sourit un peu moqueusement, comme si je n'y croyais pas.

Oui, René. C'est la première fois.

Il y aura tant de premières fois, avec lui. Et l'absence complice de mon père me dit qu'il comprend, lui aussi, que René peut me donner autre chose. Une part de lui, une part de moi.

Ce jour-là, il éteint sa cigarette avant de l'avoir finie et n'en rallume pas une autre. Il avance une main, s'arrête, semble attendre une réaction ou un encouragement. Je perçois son silence, son intention, le son de son corps, l'ombre de ses cils, l'odeur de sa cigarette, la proximité, surtout, de ce corps maigre et dur, et je me dis très clairement que je le laisserai faire ce qu'il veut, car je n'aurai pas de deuxième chance.

Sa main se déplace, se pose sur ma cuisse.

Ça te dit ? demande-t-il.

Étonnement. Est-ce ainsi que cela se passe ? Aussi simplement ? Pas de grandes explosions ni de feux d'artifice ? Comme toutes les femmes, je vois d'instinct son désir qui s'allume. Mais je ne pensais pas qu'un jour il se dirigerait vers moi.

Impossible équation. On ne désire pas une baleine. Ni une couenne épaisse. On peut lui parler comme à une amie, on ne la voit pas comme une femme. Soyons réaliste. Il doit y avoir une moquerie cachée quelque part, une supercherie ? René ne peut pas avoir envie de moi. À moins que mon père ne l'ait payé. Mais il faut plus que de l'argent pour amener quelqu'un comme lui vers une femme comme moi. Soyons honnête.

(Peut-être suis-je morte, coincée dans le chambranle de la porte, et que mon après-vie est ce rêve paradisiaque ?)

Je peux toujours m'imaginer comme océan houleux, ce que je suis, c'est une masse d'adiposité galopante ; un corps frémissant de ses séismes ; une explosion retenue uniquement par l'enveloppe de ma peau.

Et tant, tant, tant de douleurs.

Je finis par murmurer : Pourquoi ?

Il secoue la tête, se penche, m'embrasse doucement. Pas de questions. Quelle sensation parfaite que ces lèvres tièdes aspirant les miennes ! Je goûte le tabac à l'intérieur de sa bouche.

Pas de questions. Certains mystères doivent le rester. L'énigme de l'homme maigre à la recherche d'un continent.

Il défait la robe de chambre en soie que je porte religieusement à chacune de nos rencontres, l'écarte, dévoilant ce que je m'efforce à chaque instant de dissimuler. J'ai seize ans. Mais mon corps est une terre ancienne, bien trop malmenée pour se sentir vierge. Je ne suis ni pure ni innocente : la nourriture m'a aguerrie, formée au vice.

Il regarde ma poitrine d'un air abasourdi, Seigneur, je n'ai jamais rien vu d'aussi beau ! Beau ? A-t-il vraiment utilisé ce mot ? Et à propos de ma poitrine informe, amplement dominée par mes autres montagnes, qui n'émerge jamais tout à fait parce que la gravité la tire des deux côtés, mais voilà qu'il tient mes seins dans ses mains, les pousse vers le haut comme un potier son argile, baisse la tête et prend un mamelon entre ses lèvres, aspire, mordille, une langue, habile, et je suis en plein vertige, détendue, relâchée, abandonnée, prête à tout. Rien ne m'avait préparée à cela.

Il descend à présent vers mes cuisses infinies, les écarte avec un effort qui raidit ses muscles, et, après avoir cherché parmi les replis qui le camouflent et qui le miment, il découvre et insère ses doigts dans mon vagin.

T'as jamais senti ça, ma belle ?

Je fais non de la tête, incapable de parler, liquéfiée, cerveau fondu.

Sa main danse, sa bouche est de nouveau sur ma poitrine, je me raidis, perds le souffle et la tête, vertige, tourbillon délicieux qui s'intensifie de plus en plus jusqu'à ce qu'un orgasme puissant vienne me secouer pendant de longues secondes où je suis livrée à l'absolu des sensations. Un cri amputé se transforme en plainte, puis en une mélodie basse et ventrale. Il défait son pantalon, se place au-dessus de moi et, mes cuisses écartées des deux côtés du lit, mes chairs repoussées comme un rideau pour libérer le passage, il me pénètre, soupirant lorsqu'il transperce mon hymen et se retrouve tout entier en moi.

Son mouvement de va-et-vient accroît la sensibilité que je découvre à cet endroit, ça me brûle un peu mais, bientôt, je ne ressens plus que l'étrange intimité de nos corps, l'imbrication poisseuse, je grésille de partout, ma surface étincelle, chaque point de contact avec son corps est magnifié par le plaisir. Plus vite, sa peau rougit brutalement, plus vite, son souffle est brûlant, plus vite, et il gémit en éjaculant. Il s'écroule sur moi, le visage emprisonné entre mes seins. J'éprouve une tendresse curieusement maternelle face à ce relâchement total, cet abandon d'un homme, empreint de vulnérabilité.

Un temps. La moiteur nous colle l'un à l'autre. Il ne pèse pas lourd. Il ne fait pas la moitié de ma largeur. J'ai l'impression qu'il va s'enliser, ou alors qu'il laissera l'empreinte de son corps dans le mien lorsqu'il se retirera. Ma main sur son dos découvre de très curieuses formes, des saillances, des anfractuosités, des omoplates pointues (les miennes sont depuis si longtemps enfouies qu'il faudrait un archéologue pour les excaver) ; un long creux vertical suit sa colonne vertébrale, et puis de petites fesses serrées et velues, double miracle de fermeté, je les caresse sans honte, trop étonnée par ce corps si étranger au mien, si dissemblable que nous pourrions ne pas appartenir à la même race.

Il soupire – presque un grondement – et s'agite doucement.

Continue, c'est bon, dit-il. Il guide ma main entre ses fesses, vers la cavité intime et humide, puis vers l'envers de ses testicules, c'est si facile de tout atteindre de lui, aucun effort, il est accessible, un livre ouvert. Il bande de nouveau, guide ma caresse, me dit : plus fort, plus fermement, aïe, là c'est trop, oui, comme ça, continue, continue, continue, continue…

Il ne voit pas la larme d'émerveillement qui court se dissoudre dans mes draps.

Je suis une femme.

Une telle reconnaissance. Cet homme est un saint. Je ferme les yeux, m'attarde sur ces sensations inédites de douleur et de plaisir mêlés, sur ce soleil né en mon centre. Et je m'endors.

L'impossible m'est arrivé.

Nous avons continué à nous voir, le temps qu'il fasse les changements, nécessaires ou non, dans toute la maison. Et en moi.

Mon corps, dit-il, lui procure des félicités insoupçonnées. Il y a peut-être un fond de perversité dans ce désir, mais je ne m'en plaindrai pas, car il est sans fin.

Je ne dois pas, ne dois pas.

Tomber amoureuse.

Pas le droit.

Je le sais.

Mais comme le Petit Prince, j'attends son sifflotement. Il vient d'une autre planète. Je suis un aéronef échoué. Il va me réparer. Remettre les écrous en place. Que vois-tu, mon prince, lorsque tu me regardes ?

L'air de ma chambre est surchargé de phéromones. Son sperme et ma propre mouillure détrempent mes draps. La sueur déplisse mes courbes. Dis-moi, dis-moi, bel homme, ce que tu vois quand tu me vois. Je ne le lui demande pas. Accroche-toi à ce qui t'est donné. N'en demande pas plus.

Pourtant, à chaque fois, ses yeux me parlent d'abondance.

Il navigue sur les chutes du Niagara. Il me hume, me goûte, il imprègne sa peau de mon odeur. Et inversement.

Le soir, chez moi, je te sens encore, me dit-il. Regarde. Sans attendre, sa main guide la mienne vers son sexe, déjà durci. Il pétille : il y a tant d'endroits...

Oh Dieu, cet homme me voyage et ne se lasse jamais. Une jambe, une fesse, un sein, puis l'autre, à rebrousse-corps, à rebrousse-vie, la plante des pieds, l'ombre des orteils, pliures inexplorées, il est une anguille qui s'enroule autour de mes rochers. Parfois s'endort, anéanti. Je ne dors pas, je l'écoute dormir, je l'écoute respirer, je l'écoute battre, attraper chaque instant, ne rien perdre, ne jamais oublier qu'un jour il a été.

Papa nous laisse seuls. Je finis par comprendre sa générosité. Il sait qu'aucun autre homme ne voudra de moi. Il sait que René est le seul à pouvoir me désirer. Il me fait le cadeau du plaisir. Quand il rentre, il fait du bruit pour qu'on l'entende.

René se lève paresseusement. Il me regarde aussitôt : je n'ai jamais si bien dormi, dit-il.

Il sait si bien mentir.

J'adore tes mensonges.

Je n'en connais pas de plus beaux.

Mens-moi encore.

Aucun amour ne survit sans mensonge.

Entre nos rendez-vous, je dors ou je me lave. Longuement. Les replis et les bourrelets sont des pièges à crasse. Je me renifle, je flaire tout ce qui pourrait dégager un quelconque relent. J'abuse des parfums pour masquer ce que je n'aurais pas su déceler. Longue exploration, guidée par une obsession animale, de ce corps qui tente sans cesse de me trahir. Pétrie de honte, je dois demander à papa de m'aider. Avant, c'était normal. À présent, je sais qu'il comprend ma terreur, mon obsession de la propreté.

Ses mains d'homme sont lourdes et riches. Je ferme les yeux et pense à René.

Dès qu'il est parti, mes ablutions se transforment en rituels, une minutieuse préparation au coït : l'eau, chaud-jaillissant, l'eau que je transforme en jet et dont j'emplis ma bouche et mes trous, l'eau qui chatouille la plante de mes pieds et les pointes de mes seins et toutes mes parties sensibles, je revis nos instants et je halète.

Entre deux rendez-vous, je dors de satisfaction, gavée, repue, rompue de bonheur. René est mon archéologue.

Le temps au diapason. Soleil quand j'ai envie de sueur, pluie quand j'ai besoin de gris, froid quand je veux voir saillir mes mamelons, tempête quand mon corps semble entrer en éruption. Ou peut-être est-ce mon esprit qui s'invente son climat ?

Je suis comme toutes les filles qu'une première expérience emplit de la joie furieuse d'être femme. Elles sont dans l'enchantement simple de leur corps réveillé. Elles croient avoir acquis un pouvoir, alors qu'elles viennent d'abandonner leur libre arbitre.

Jusqu'à ce que le doute les reprenne.

Qu'est-ce qui pousse cet homme à aimer ma difformité ? Serait-ce mon immobilité ? Mon incapacité à l'empêcher de faire quoi que ce soit ? Pourtant, il ne me demande rien que je n'aie envie de faire. Je suis prête à tout, prête à explorer jusqu'au bout cette nouvelle manière d'être, aucun refus, jamais : il m'ouvre le monde. De plus, il ne me fait pas mal. Aucun rapport de force, même si son expérience lui confère l'aura du dominant. Parfois, il se contente de s'étendre sur moi, le visage dans mes seins, le sexe au repos contre mon ventre. Ces instants de latence me sont infiniment précieux.

Il est si facile de lui donner du plaisir. Lui au-dessus de moi, lui les mains pleines, moi la bouche pleine, moi fascinée par son visage de Christ mourant, lui insistant, toi avant, toi d'abord, toi.

L'aventure de la pénétration. Pour parvenir à m'écarter suffisamment les cuisses, il doit placer une chaise de chaque côté du lit et y poser chacune de mes jambes. Et il les pousse, jusqu'à m'ouvrir. Même là, le haut de mes cuisses se rejoint. Alors, il fouille et explore. Je le guide autant que je peux. Il est suant d'efforts. Il sent l'homme. Que ça sent bon, l'homme !

Échouée, naufragée, son corps me sauve de la noyade.

Parfois, pourtant, lorsqu'il franchit le seuil de ma chambre, dont il m'a délivrée, quelque chose pèse sur ses épaules. Il arrive avec sa charge, son allure ne chante pas, une mélancolie rôde sur ses lèvres. Je lève les bras pour le saisir et l'attirer vers moi, sa consolatrice, celle qui lui permet d'être René et Monsieur et mon Seigneur et mon gâteau d'anniversaire, tout cela à la fois, faire renaître son désir joyeux, mais certains jours, c'est une quête aussi vaine que celle de la minceur, nous sommes prisonniers de nos propres regards, nous sommes des solitudes entrechoquées.

Il me parle de sa vie d'avant, et je comprends chaque marque sur son visage et sur son corps, cette brûlure du froid à nulle autre pareille.

Ton corps me tient chaud, me dit-il.

Mon corps est sa satiété, sa plénitude.

Est-ce cela, sa plus grande peur ? De retrouver l'agonie des gelées au petit matin, lorsque le corps se révolte et que l'esprit est anéanti ? Doigts bleus, lèvres mauves, peau exsangue ?

Comment peuvent-ils savoir ce qu'est le froid, ceux qui ont un abri où se refugier ? demande-t-il. Vous vous emmitouflez, vous sortez, votre nez rougit, vous frissonnez, vous avez la chair de poule, puis vous rentrez dans le métro, ou le train, ou la voiture, pour retrouver un lieu chauffé. Et aussitôt, votre corps se remet de l'agression, retrouve un certain bien-être, rassurant. Le froid n'est qu'un souvenir, pas même désagréable. Mais sans toit… Tu regardes de tous les côtés et il n'y a que le vide. Pas un vide vide, non : un vide rempli de possibilités, mais qui ne sont pas les tiennes. Les magasins ?

On ne te laissera pas y entrer. Les métros ? Les bancs se hérissent d'obstacles ou s'inclinent pour mieux te rejeter. Penses-y : des lieux conçus exprès pour ne pas t'accueillir. Les refuges pour SDF ? Tu y retrouves tes semblables, tes miroirs, et c'est insoutenable, ces visages qui te disent ce que tu es parce qu'ils sont tous le tien. Pas de refuge ni d'évasion possible.

Aucun moyen de te protéger. Tu as beau accumuler les couches, parka, pull, couvertures, papiers, tracts et cartons, quand tu vis à l'extérieur, aucune protection n'est possible. Toutes tes particules sont livrées au viol du froid. Et ça s'intensifie. Tu ne peux pas t'y habituer. C'est comme s'il creusait ton corps, le perçait de mille trous, et ta chair se révolte, les aiguilles passent au travers et leur brûlure te rend fou. C'est comme la faim, la soif, la solitude. On ne peut pas tromper un corps en manque.

C'est là que tu te rends compte que les environnements que nous avons construits nous sont résolument hostiles. À chaque respiration, des molécules chimiques t'envahissent et t'empoisonnent. Quand tu tentes de dormir, la ville qui ne dort jamais, elle, s'ébroue et te secoue jusqu'aux os. Tu ne peux rien lui refuser de toi, tu es sa chose et sa proie ; tu loges dans ses rues. Elle te démembrera et te reconstruira à sa guise, tout de travers. Un jour, tu ne sais plus si tu as les jambes à la place des bras ou la tête à l'envers. Ton humanité est bien loin de toi, qui n'es plus qu'une masse informe entassée dans un coin. Qui pourrait dire ce qu'il y avait là, avant ? Qu'était-ce ? Un homme ? Vraiment ?

L'écoutant sans mot dire, je lui caresse doucement le dos, doucement, jusqu'à ce que les tensions s'estompent, puis s'effacent. Je sais le moment précis où la raideur des muscles commence à disparaître. Quand la peau prend conscience des doigts, de leur chaleur. Quand les souvenirs cèdent le pas, desserrent leurs griffes, le livrent de nouveau, dans son innocence, à ma tendresse.

Nous nous endormons l'un dans l'autre. J'offre mon ampleur à sa maigreur. Je suis la consolation de ses manques.

La honte, dit-il un jour en se réveillant. Voilà une autre geôlière. Plus insidieuse encore. Comme ce jour où j'ai été malade dans la rue, pris de spasmes, je tremblais comme un vieillard, j'avais l'impression que tout l'intérieur de mon corps s'échappait par mes orifices, je pensais que j'allais mourir, là, dans un recoin où même les chiens errants ne venaient plus, et j'espérais que quelqu'un s'arrêterait et proposerait de m'aider, d'appeler les secours, mais j'ai attendu et attendu, et tous pressaient le pas comme devant une chose répugnante.

J'étais un animal. Moins qu'un animal, puisqu'il y aurait sans doute eu quelqu'un pour recueillir un chien souffrant. Dans ce pays où la plupart des gens ont tout, et surtout l'inutile, celui qui n'a rien est prisonnier de son exil. Si tu n'as rien, c'est que tu l'as choisi, pensent-ils. Mais que savent-ils de la dégringolade, des échéances, des déchéances ? Pourtant, ils sont aussi à quelques encablures de la chute. Personne n'est à l'abri.

Mais tant qu'on n'y est pas, sur cette arête au-dessus du vide, on ne peut pas savoir combien il est facile de basculer.

L'état primaire : le froid, la faim, l'urine, les excréments. Aucune différence, effectivement, avec les animaux. Parce que, tout compte fait, les besoins primaires sont ceux-là. Rien n'a changé. Un téléphone portable, ça ne te protège pas, ça ne te nourrit pas, ça ne te soigne pas. C'est l'illusion du monde moderne qui nous amène à le croire.

Pour ceux qui ont un toit, la ville est une ruche qui les garde au chaud, qui les enveloppe de son vrombissement, de ses ailes qui ne cessent de battre, de cet affairement industrieux dont le seul but est de les garder en vie. Mais dehors… Elle est une lame qui incise ta chair. Mille et mille coupures par lesquelles tu vois de jour en jour ta vie s'échapper dans les caniveaux faits exprès pour charrier ton sang.

Quand tu es à la rue, tu comprends que la civilisation ne t'a rien donné. Elle a créé une bulle dans laquelle on se croit fort, de l'argent pour les apparats, pour l'excès, le superflu, mais quand la catastrophe vient, personne n'est protégé.

Pour le comprendre, il faut faire partie de cette lie qui rase les murs et se refugie dans les failles du bitume. Dans le monde souterrain du métro, la seule chose qui change, c'est la mélopée funèbre des nouveaux réfugiés mendiant sur les quais, qui est venue s'ajouter aux tirades des fous hantant les rames. Les autres sont contents d'avoir leur écran pour armure, pour rempart.

Entre les deux, l'impossibilité d'une rencontre. C'est facile de parler de compassion et de justice, mais en réalité, cela n'existe pas. Tu vois, une partie du monde a tout ce qu'il lui faut, à portée de main. Or, comment vivre, avec quelles aspirations, quand ton frigo est plein et que tu n'as ni trop froid ni trop chaud, ni peur du lendemain ? Tu dois alors poursuivre des désirs artificiels, te créer des peurs, inventer la menace que tu perçois dans l'œil des autres. Et à force d'y croire, les dangers deviennent réalité. L'appétit de la destruction commence à combler le vide. Que l'on soit acteur ou spectateur de la violence, chacun ouvre les yeux au matin en ce demandant quelle nouvelle catastrophe teindra le jour de noir, le rendra plus intéressant, le fera se sentir, paradoxalement, plus vivant.

Tandis que celui qui est assis sur son trottoir avec tous ses biens dans un sac à ses pieds, il a froid ou faim, mais pas de chair humaine, pas du sang des autres. Il a besoin de nourriture et de chaleur, pour son corps comme pour son âme. C'est comme s'il appartenait à une autre espèce, la violence qui les habite lui est étrangère. Il se laissera mourir mais n'y participera pas.

Nous sommes sortis de la meute et nous la regardons s'entretuer.

Quand René parle ainsi, une colère enfouie s'éveille, une révolte amplifiée par l'impuissance qui s'exprime dans son long flot de paroles, parfois il se répète, souvent il tourne en rond, dit des choses mille fois dites, mais je sais qu'il me livre ainsi sa plus grande fragilité.

Je ne sais toujours pas comment il ne voit pas en moi le symbole de tous les excès de cette société qu'il méprise. Pourquoi il m'exonère, moi. Mais je ne le lui demande pas. Je suis bien trop heureuse de le savoir là, lorsqu'il s'endort enfin à mes côtés, oublieux de mes débordements.

Cet homme qui songe à mes côtés, c'est un rêve de seize ans qui enfin se réalise et m'effleure de ses ailes, de son souffle. Un rêve interdit qui prend vie alors que je voyais poindre l'inévitable. Moi l'immobile, entombée dans mon corps.

La rencontre de deux ruines, voilà ce que nous sommes.

Temps de sursis, mes seize ans : première et dernière année de bonheur. Combien sont ceux à qui cela est refusé ?

René se passait désormais de prétexte pour venir me voir. Papa avait dû se sentir débarrassé d'un poids (littéral). Il pouvait de nouveau sortir, vivre normalement. Être un homme, retrouver des amis (en avait-il encore ?), des femmes autres que sa fille-monstre, sa fille-impératrice qui emplissait sa vie à ras bord et ne laissait aucune place aux autres. Peut-être lui est-il alors poussé des ailes, pauvre papa, lorsque René a pris sa place ?

Chaque nuit, papa me demandait si j'allais bien ; es-tu heureuse, en es-tu sûre ? Je souriais, à moitié endormie, notant qu'il ne s'adressait plus à « nous » mais à moi, soudain redevenue entière, un homme avait recollé les deux moitiés, l'une dévoreuse, l'autre dévorée, et j'étais celle qui avais triomphé.

De ma jumelle, depuis René, pas un mot. A-t-elle senti que je ne lui appartenais plus ? Son ombre s'est dissipée.

J'étais, il n'y a pas d'autre mot, repue.

Grasse de bien-être, molle de satiété, débordante de sexe, dégoulinante de plaisir. Mon père laissait des marmites remplies et des plats garnis dans la cuisine, René n'avait qu'à les réchauffer et me les apporter. Il me faisait manger, encore à moitié allongée, dans une gestuelle élaborée et taquine, et j'ouvrais la bouche pour recevoir les linguine ou le risotto, la souris d'agneau et les tartes Tatin, la chambre s'emplissait de parfums d'épices et de sucre qui se mêlaient à ceux de nos corps, étrange fragrance qui affolait davantage nos sens. René mangeait peu, mais il n'en appréciait pas moins la cuisine de mon père, ses yeux brillaient en voyant le vernis du caramel couler sur des fruits longuement mijotés dans du beurre et fondant dès la première bouchée, en découvrant la crème glacée aux saveurs inattendues de cumin et de safran, ou l'onctuosité d'une bisque aux couleurs de soleil couchant. Ma chambre était devenue un lieu d'hédonisme débridé. J'étalais sur mon lit des tapis de soie et de brocart, des coussins indiens, des voilages qui, loin de masquer mes formes, les sublimaient. Je recouvrais d'un tissu rouge les lampes et l'on baignait dans cette lumière de bordel comme si nous étions revenus à une époque décadente et joyeuse.

Les semaines passant, nous nous sommes mis à expérimenter, à marier nourriture et sexe de plus en plus étroitement. Je ne pouvais pas bouger mais Dieu, ce que je pouvais dévorer ! Comme si avec lui, j'avais retrouvé le plaisir d'avoir faim. Les mets passaient directement de bouche en bouche, étaient léchés sur une peau salée, étalés sur les zones les plus sensibles et les plus délicieuses de nos corps. Que se passe-t-il lorsqu'on applique un peu de pâte de piment rouge des îles au bout de la verge ? Des brûlures, certes, mais pas suffisantes pour éteindre le plaisir, au contraire, au contraire. Et, yeux fermés, que savoure-t-on davantage, le lisse élastique du sexe masculin ou le juteux d'une viande saignante ?

Cela nous faisait rire, de jouer ainsi à la pornographie, de nous libérer des contraintes, d'être égaux dans l'exploration du désir (car je ne suis pas sûre qu'il se soit lancé dans de telles découvertes avec ses autres amantes), mais sous ce rire il y avait une férocité, ma faim de nourriture rejoignant celle, nouvelle, de la chair, et il était emporté lui aussi, étourdi par cette frénésie. Lui qui avait vécu dans la misère et le manque absolu se retrouvait transporté dans un paradis de gloutonnerie ; comment pouvait-il ne pas aimer cela ? Le champagne nous étourdissait, la cigarette nous lapait de sa tiédeur âcre, et nous mangions, buvions, faisions l'amour comme si nous vivions nos derniers jours sur terre.

J'étais abasourdie, assommée de bonheur. Je l'avoue : je me suis laissée aller à y croire. À l'aimer trop, comme il se doit, comme dans tous les naufrages annoncés du cœur. Mais il me semblait juste de m'ouvrir à l'excès puisque je n'aurais, je le savais, pas de seconde chance. Et je n'en voulais pas, de cette seconde chance : René était mon apothéose. Que m'importait, après cela, de mourir ?

Mange-moi, engloutis-moi, mon homme éternel, que je sois ton ultime festin, oublions le sort des êtres humains sur terre, tout ce qui dans ce monde nous voue à la destruction, choisissons notre propre fin sans attendre, choisissons-la gaie et rieuse, gargantuesque et vertigineuse, afin que la mort soit notre dernière saveur.

Offre-moi les angles de ton corps, que je m'y appuie et m'y soutienne, et je t'offre le matelas du mien pour que tu t'y loves, ne sommes-nous pas ainsi parfaitement accordés, l'osseux et la boursouflée, mes lymphes surnuméraires et tes surfaces concaves, tout ce qui en moi déborde, tout ce qui en toi s'efface, je t'offre mon excès, à toi, l'affamé, tu m'offres tes voyages, à moi, l'immobile.

Tu ne me quittais plus, la chambre devenait une cellule carmin où deux créatures étranges s'accouplaient en mangeant, mangeaient en s'accouplant, ne savaient plus où commençait l'une, où finissait l'autre, dormaient, s'éveillaient, le cœur balbutiant de désir. Nous y accomplissions notre mue. Nous perdions nos peaux mortes comme si nous chassions nos démons, la chambre était emplie de relents mais nous ne nous en rendions même pas compte, les odeurs se dissipaient, nos corps ne se grippaient plus, poursuivaient leur exploration de l'abondance avec une audace inconcevable.

Parfois, quand tu dormais, les yeux ouverts, je percevais ce que cela avait de terrifiant, mais je t'avais entre mes bras, mon enfant à moi, et pour rien au monde je n'aurais changé le cours des choses,

je ne regrettais ni les souffrances qui m'enflaient encore,
ni l'horreur passée de ma naissance,
ni mon chemin tracé vers l'inhumanité

je ne tremblais pas de devoir payer un jour pour ce bonheur – pas tant que ton corps d'homme entre mes bras dispersait mes solitudes, comblait mon inassouvi, emplissait le monde d'une substance plus douce que toutes les nourritures terrestres –

pas tant que ton corps d'homme, entre mes bras, me persuadait qu'un œil divin veillait sur nos vies.

Mais un jour, René, tu as voulu jouer à un nouveau jeu.

Un jour, tu as apporté un appareil photo. Tu avais pensé, m'as-tu dit, aux photos que ton grand-père prenait dans son atelier. C'était, m'as-tu dit, le rêve secret que tu nourrissais depuis toujours.

Un lien de plus, sans doute, partage quelque peu différent, un autre regard posé sur moi. J'ai aimé ta fébrilité, me le demandant, l'excitation de tes lèvres, tout ce qui dans tes yeux parlait de ton enfance bercée par des femmes généreuses.

Oh, mes plis, mes bourrelets, mes excédents, mes chairs disproportionnées ! Comment puis-je accepter qu'ils soient immortalisés par des images ? Je tente de refuser, mais René me montre un vieux calendrier fait par son grand-père, presque en lambeaux tant il a été manipulé, où figurent les photos des femmes qui lui ont servi de modèles. Ne sont-elles pas ravissantes ? me demande-t-il, et elles le sont, en effet, ces femmes sépia d'un autre temps, avec leurs formes pleines, charnues, rondes, élastiques ou flasques, cuisses épaisses, ventres protubérants, joues roses rebondies, bouches boudeuses rieuses, chevelures bouclées crêpées bouffantes, des femmes aimant la vie et ne le cachant pas, avec leurs sous-vêtements à pois étirés à craquer ou leur peau lisse pour tout habit, toisant du regard cet homme qui les vénère. Voyant leur gaieté, leur bouche capturée entre rire et soupir, le plaisir saisi sur tous ces corps de femmes, je mesure à quel point le regard des autres transforme notre vision de nous-mêmes ; ce sont les yeux des autres qui ont fait naître en moi le monstre de la honte, et la honte du monstre.

Tout ce temps, j'ai été massacrée par le jugement des autres. Par le venin qui jaillissait d'eux, s'infiltrait en moi, m'empoisonnait, m'emprisonnait. Que vaut alors notre propre jugement ? Se pourrait-il que je sois un objet d'admiration plutôt que de mépris ? Pendant seize ans je me suis haïe en me soumettant à des règles arbitraires, j'ai connu les affres de la détestation de soi, le dégoût, la culpabilité, non parce que je le méritais, mais parce que je m'étais volontairement soumise aux décrets de mon époque. Après tout, j'ai seulement commis le crime d'être grosse.

Est-ce vraiment un crime ? Pourquoi ne me suis-je pas aimée, René ?

J'ai passé seize années à me regretter. Comprends-tu l'ampleur de ce désastre ?

Je me mets à pleurer comme une gamine, pleurer de bonheur et de regret, tandis que René me dévisage, désemparé :

Que se passe-t-il ?

Que me diront de moi tes photos ?

Elles te diront que tu es belle. Elles te diront que je t'aime.

Je t'aime. J'enlace ce mot, je l'absorbe. Oh, René, par quel miracle m'es-tu parvenu, quel élan de bonté aura saisi le destin pour qu'il m'apporte l'amour tandis que je me figeais, gisante, dans une existence qui n'avait plus de but ? Qu'ai-je fait pour te mériter ?

Il a apporté un appareil argentique, un trépied, des objectifs, des lumières. Un appareillage auquel je ne m'attendais pas. Il fait tout cela pour moi. Je ne sais où il a trouvé l'argent pour acheter ce matériel. Je serai sa muse et son sujet ! Il est excité comme un enfant ouvrant des cadeaux de Noël. Je suis l'un des présents qu'il déballe. Il me déshabille puis me rhabille, plus ou moins, déposant sur moi des bribes d'organdi transparent ou l'esquisse d'un drap de soie, des tissus qui révèlent davantage qu'ils ne dissimulent, ici, non, là, non, comme ceci, non, plutôt comme cela, il me met en scène, dirige sur moi des lumières douces mais précises qui longent mon corps de tendresse, le teignent d'attente et de grâce, de temps à autre il me caresse pour donner à mon regard la couleur d'un rêve et à mes lèvres l'enflure d'une attente. Sa bouche s'attache à la mienne, ses doigts m'affolent. Il en oublie parfois ses photos. D'autres fois, juste après avoir fait l'amour, alors que j'ai encore son écume pâle sur la langue, il saisit son appareil et prend des photos de moi après l'orgasme, moi assoupie d'aise, moi trouble et évasée, remous, remue-ménage dans mes organes ; il longe mon corps des yeux et de l'objectif jusqu'à ce que je ne puisse plus faire la différence entre ses caresses et celles de la caméra.

J'entends ses mots, est-ce à moi que ces compliments s'adressent, il fait chaud, je me love, soie et salive, tu es un chaton paresseux – un chaton, moi ! –, tu es une chatte lascive, tu as une chatte délicieuse, et le revoilà reprenant son appareil, il me photographie de tous les côtés, sous tous les angles, je suis sa star, mon rire est libre comme il ne l'a jamais été, il me fait trembler et c'est presque un séisme, mais je m'en fous, plus je vibre, sismique, plus la folie nous gagne.

Il ne braque pas seulement son objectif sur moi. Il embrasse mon horizon. Ce corps qui m'a encastrée, qui a été ma claustration, m'ouvre enfin ses portes. Mon seul pays valait peut-être la peine d'être habité.

Quelques jours plus tard, il me montre les photos qu'il a fait développer.

Je n'ose pas les regarder. Il doit me persuader, me supplier, m'y forcer, presque. Mais lorsque je cède, ma stupéfaction est totale : pour la première fois, je me trouve belle.

Les clairs-obscurs mettent en scène une créature plus grande que nature, mon visage mélancolique comme celui d'une icône, le désir qui me pare de lumières, ce sont des peintures plus que des photos, je suis l'odalisque, enfin, rendue à moi-même, enfin, son regard m'irradie, j'ai une belle bouche de dévoreuse, je dévore René par tous les bouts pour le garder en moi, toujours, toujours, souvenir d'un plaisir sans fin et sans ombre, nous sommes le monde loin de ses peurs, je suis la femme du charpentier, il est le dieu de mes chairs.

Il étale les photos à travers la chambre et je nous regarde vivre, je regrette qu'il n'y soit pas aussi, dans ces photos, que je ne puisse saisir ses regards et ses mains, mais il est si heureux derrière sa caméra que je ne peux que le laisser faire, et faire encore, tout ce qu'il veut, tout ce qu'il veut de moi.

Je ne sais plus comment gérer ce bonheur. Il m'étourdit et me dévaste.

Je commence à le craindre, à me défendre de trop en jouir, à m'interdire le trop de joie.

Je pressens la vague de fond qui enfle et qui s'approche, meurtrière.

Et elle arrive. Elle arrive. Mais rien ne me prépare à sa violence – à son visage.

Un soir, papa entre dans ma chambre, ravagé.

Je sais, en le voyant, que le mal est là. Mais je ne sais pas ce qu'il est, d'où il vient. Je me mets à trembler.

Qu'y a-t-il, papa ?

Il s'assied sur mon lit. Il tient sa tête entre ses mains. J'insiste. Des rides inconnues lui entaillent la chair, comme tranchées, à vif, en quelques secondes. Ou bien est-ce moi qui, dans mon euphorie, ne l'ai pas vu vieillir ?

Quelque chose est arrivé à (mon Dieu, faites que non) René ?

Parle, papa ! Ton silence me terrifie.

Alors, il me parle de photos. De photos de moi.

Postées sur Internet. Et relayées partout.

Offertes au monde entier.

Vues par l'œil qui me surveille depuis toujours.

Il ne dit pas un mot des *commentaires* – je les connais depuis toujours.

J'ai le temps de saluer la vague, avant de me mettre à suffoquer.

J'aurais pu imaginer qu'il les ait montrées à des amis, ils auraient même pu en rire ensemble, j'y suis habituée, cela m'aurait fait mal, c'est sûr, mais je l'aurais compris et accepté, j'aurais presque accueilli cette douleur en amie, comme le poids nécessaire équilibrant ce trop-plein de joie, mais.

M'offrir ainsi au regard d'un monde à la cruauté infinie, où les prédateurs sont les maîtres ? L'œil de la jungle virtuelle ?

Celui qui me hante depuis l'enfance ?

Toi, René ? Non.

D'un trait rayé, rires et amours et tout le tintamarre. Entachés du sang huileux du mensonge. Monde infect. Plus rien à cirer. Crève-moi comme le ballon de baudruche que je suis, qui que tu sois qui veux ma mort ! Pourquoi m'avoir fait naître ? Je suis le porc sacrificiel, c'est ça ? La Couenne éternellement condamnée à marcher, pénitente, dans l'arène, sous le regard des bêtes sauvages ?

Tout revient toujours. Depuis la nuit des vies et l'autre versant du temps, ce que tu as vécu te reviendra à la face, tu n'y échapperas pas, si c'est toi que le destin a choisi comme sa créature, sa chose, sa chair à pâtée favorite, tu auras beau courir, tu n'en réchapperas pas, il te rattrapera et se vengera, parfois prenant son temps, parfois à une vitesse qui te coupera et le souffle et la tête.

Et cette vengeance-là, acier tranchant en suspens dès le début, je l'aurais acceptée, j'aurais accepté l'abandon, l'effroi après un long sommeil empli de cauchemars, j'aurais compris qu'il se fatigue un jour et reprenne sa route en me disant, je m'en vais, j'en ai assez de ta tronche de grosse, je vais baiser une mince, ça oui, je m'y attendais, je l'attendais, je me savais en sursis, je nous savais frappés par une date de péremption, je n'aurais été ni surprise ni choquée, mais.

Ça, René ? C'est ça que tu me réservais, à moi, sachant ma terreur des regards ? Pas un abandon mais une mise à mort publique ? Tu ne pouvais pas partir en me laissant la consolation d'un chagrin secret et solitaire, qui n'aurait fait rire personne puisque personne ne l'aurait su, et qui m'aurait au moins permis de passer le reste de mes vies à me rappeler nos caresses et nos mensonges, doux, malgré tout, car j'aurais connu cela, moi, l'isolée vive, un homme qui jadis a dormi sur moi comme sur un lit de velours, j'aurais pu garder cela, le souvenir de mon petit dieu maigre qui avait su trouver en moi, pendant un temps, un refuge, mais.

Il a choisi la pire des guillotines.

La plus infâme des trahisons.

Et je ne meurs pas.

On ne meurt pas de chagrin – en tout cas, pas très vite.

Je reste longtemps à hurler jusqu'à ce que papa me force à avaler plusieurs somnifères et je m'endors d'un seul coup sur un cri amputé.

Nous sommes des gloutons, toujours ; affamés, y compris de punition : car j'aurais pu les ignorer, ces photos, m'enfermer dans ma douleur sans chercher à m'y enliser davantage.

Mais j'ai fini par céder à la bête curieuse cachée en nous tous. J'ai fini par les regarder. C'est ainsi. Je me jette dans le piège. Impossible de résister à la tentation de savoir.

Je me dis que c'est pire d'imaginer ce qui s'y trouve, mieux vaut affronter la réalité. Après tout, je les ai vues, ces photos. Je les ai trouvées belles. Qui sait si d'autres ne les trouveront pas belles aussi, ceux dont le regard n'est pas asservi à la norme ? Qui sait si René ne les aurait pas postées en pensant faire partager son désir ? Ma tête d'idiote me fait miroiter une autre possibilité que la chute. Et j'y vais. Et je me lance. Et je les vois. Et je *me* vois.

J'en ricane presque, tant je me suis trompée. Tout y est : mes parties intimes, mes yeux à moitié révulsés, mes voiles grotesques, ma bouche écumeuse, mes poils, ma graisse, tout, tout, tout ; le point d'interrogation de son sperme sur mon ventre ; et mon corps, dans sa plus vaste horreur ; et surtout, je le vois à présent, ma véritable apparence. Ce n'est pas le regard des autres, non : c'est moi qui suis monstrueuse. Au grand jour étalé, ce corps bosselé, tuméfié, tumescent est d'une terrifiante laideur. Au grand jour, je vois la maladie comme si on m'avait ouvert le corps pour faire l'offrande de mes entrailles sanglantes. Aucun peintre de la Renaissance, aucun photographe et surtout pas René, le photographe improvisé, ne pouvait me rendre belle. C'était une illusion construite à deux et qui vient d'être fragmentée en mille morceaux de moi, éparpillés aux quatre coins de la terre.

Mille morceaux que des inconnus piétinent, encore et encore. Jubilatoires, avides de chair pendouillante, ameutés par la mise à mort publique que l'on croyait abolie mais qui s'est rétablie, insidieusement, depuis le temps des guillotines et des pendaisons et des fusillades, les voilà tous rassemblés autour de moi, une horde grimaçante qui vient se repaître de mon ignominie.

Je m'étais juré de ne pas lire les commentaires. Mais une fois de plus, je ne peux m'en empêcher. Une fascination mortifère m'oblige à continuer. L'un après l'autre, des dizaines, des centaines, des milliers, qui s'accumulent de jour en jour. Une telle débauche de moqueries, un tel déferlement d'insultes, un tel art de la méchanceté, du salace et du sadique, plus je lis et plus je les reçois comme des giclées de merde qui s'accrochent et collent à ma peau, et cette merde ne sent rien, elle n'est pas organique, elle est tout droit sortie du cerveau des hommes, non de leurs intestins. Je n'arrive même plus à pleurer, à respirer. Cet habitat démesuré et à la fois trop étriqué qu'est mon corps est en déroute, j'étouffe, je fais des crises d'asthme, je perds connaissance et m'effondre avant de me réveiller, balbutiante, hébétée, et tout recommence, un cycle de dévastation dans lequel mon existence, désormais, est circonscrite.

Nuit et jour les invisibles sont penchés sur moi. Ils décortiquent mes photos, les détournent avec euphorie, les étalent dans une dissection minutieuse, analysent chaque partie difforme, font naître de mon corps des insectes et des extra-terrestres, ajoutent des cris d'orgasme ou des chants d'opéra, me font dévorer par des rats. Tout leur est possible. Ils sont d'une créativité jubilatoire.

Je deviens virale. Les photos font le tour du monde. C'est maintenant une compétition, à qui sera le plus inventivement injurieux. Pas une parcelle de mon corps n'est épargnée. Mon corps est prisonnier de l'œil.

Et je n'y peux rien.

Ce qui rend la horde encore plus rageuse, ce qui intensifie son jugement et le châtiment qu'elle m'inflige, c'est qu'une ado ait pu s'offrir au regard du photographe avec autant de liberté, autant de culot, et pas seulement au photographe – au monde ! –, sans honte, sans modestie ni pudeur. Oser ainsi, en souriant, écarter ses jambes Michelin, dévoiler ses pis de vache, dénuder son ventre enceint d'octuplés, exposer ses parties intimes… Jusqu'où ira la perversion ? Bien sûr, personne ne s'imagine qu'il s'agissait là d'un acte privé. Tous pensent que le narcissisme de l'époque m'a gagnée, m'a poussée à m'exhiber volontairement alors que j'aurais dû passer ma vie dans la prison à laquelle on condamne les monstres et les horreurs.

Même les journaux sérieux finissent par en parler. Je deviens un sujet de société. L'exemple de tout ce qui va mal, de l'innocence détruite, des valeurs fustigées, l'illustration parfaite du gouffre vers lequel nous entraîne ce besoin excessif d'être *vus*, comment ni les parents ni l'école n'ont su inculquer des principes fondamentaux à cette génération d'exhibitionnistes. Les actes terroristes sont devenus banals. La femme sacrificielle l'est moins.

Une fatwa d'un nouveau genre est lancée contre moi. J'ai commis le sacrilège de ne pas me plier au culte de la minceur et de m'exposer sans honte. L'hallali est crié de clocher en clocher, de ville en ville, de pays en pays, de monde en monde.

Oui, je suis le seul être humain qu'on voit depuis l'espace. Je suis le dieu transitoire et grotesque de l'univers virtuel, celui dont tous veulent constater la réalité, celui qui les poussera vers des sommets de sidération avant qu'ils ne s'acharnent à l'anéantir pour mieux se persuader de leur pouvoir. Ce que l'on appelle les phénomènes viraux sont nos nouvelles divinités ; ils savent capter nos passions éphémères.

Je suis un lac de détresse. Je suis une larve broyée. Je hurle par intermittence, dors par intermittence, bourrée de médicaments. Les rares moments de lucidité sont d'une douleur telle que je préfère m'assommer moi-même. Et puis il y a le manque physique de René, un trou au milieu du ventre, du cerveau, du cœur, partout. Je plonge dans mon néant, sachant qu'il n'est que le prélude d'un autre néant, plus définitif.

J'aurais dû le savoir, le prévoir. L'œil me suit depuis toujours, comme il nous suit tous, vous suit aussi. Il surveille, il voit, et il ne pardonne rien. Mais il ne fait pas que regarder, il alimente les peurs, les suspicions, la paranoïa, la haine. Il vous nourrit de gerbe et de poisons. Il vous transforme. Demain, vous ne verrez plus vos proches de la même manière. Demain, le lointain sera un territoire de menace. Réunis dans cette quatrième dimension, vous verrez le monde réel comme la source de tous les dangers, celui contre lequel il faudra se barricader pour vivre par écran interposé son anéantissement. Tout y passera : mises à mort, tortures, actes les plus pervers, et chacun aura le doigt sur le bouton qui déclenchera la vague de rétribution. Demain, la nuit virtuelle vous engloutira et vous n'y pourrez rien.

Petit à petit, je sens une autre intention dans les commentaires. Si c'était moi qui ressemblais à ça, disent-ils, je me suiciderais.

Et c'est repris un peu partout, belle chorale tueuse, chant de la horde déchaînée, je me tuerais si j'étais elle, je serais déjà morte de honte, une abomination c'est ça qu'elle est, comment peut-on vivre avec ce corps, et surtout avoir osé s'exhiber ainsi, moi je me serais enterrée, je n'aurais pas pu regarder les gens en face, on n'a pas le droit, quand on est comme ça, d'exister,

on a le devoir de s'effacer.

Bien sûr, l'idée était là depuis toujours. Ils ne font que dire ce que j'ai toujours su.

Les jours passent, et j'ai mal à René.

Les jours passent et je comprends enfin ce qu'est la vraie désolation. Toute ma vie d'avant, même la journée sportive, même le voyage manqué, même l'épisode de la porte, toutes les humiliations quotidiennes, la ruine progressive d'une enfant normale, tout cela n'était rien. Maintenant, je sais ce que je suis.

Pas d'évasion possible pas de dérobade pas d'illusion de hanches maternelles de plantureuse séduction de douces ampleurs de gracieuses collines de chair, métaphores mensongères que tout cela, hypocrisies langagières, irréparable injure, je suis une cariatide attendant qu'ils finissent de découper le marbre auquel ses pieds sont rattachés, et voilà. Je suis, c'est moi, telle et rien d'autre, telle et le poids du ciel que je tiens à bout de bras devient plus lourd, mais c'est ainsi, ce poids, c'est le mien propre, ce poids, me voici, ce poids, je n'y puis rien, ce poids, c'est moi et personne d'autre, ce poids ce poids ce poids ce poids.

Je ne vis pas les choses de la même manière que vous : toutes les émotions et les sensations passent par des milliers de couches de matière accumulée, y compris la souffrance. Je n'ai pas de limites. Ce que je suis, ce que je fais et ce que j'absorbe : un suicide plus ou moins lent. Je sais que je boufferai jusqu'à ce que mes organes, un à un, défaillent. Jusqu'au dernier, non pas le cœur-chou-fleur dont les vaisseaux bientôt s'obstrueront, mais le cerveau, mon seul muscle encore sain, qui un jour, à son tour, de guerre lasse abandonnera la partie.

René, bref bonheur. Je devrais être heureuse de l'avoir connu. D'avoir connu l'orgasme, d'avoir été regardée comme il m'a regardée, alors que tant de femmes minces ont peur du moindre bourrelet et de la condamnation aussitôt assenée.

Fallait-il qu'il soit un phénomène pour oser se lancer à l'assaut de mon pinacle de corps !

René, le sherpa, lui, n'a pas hésité. C'est peut-être moi qui, au-delà de toute raison, de la manière la plus banalement stupide qui soit, ai repoussé ma seule chance, mon unique offrande.

Tout ça pour des photos.

Mais non, pas seulement. Parce que j'ai accepté de devenir un objet, une bête de foire, quelque chose d'inhumain fait pour être moqué ou adoré, mais jamais traité comme une personne. Une personne, tout simplement.

L'image ne pardonne pas.

À force de souffrir du manque de lui, je m'enfièvre. Des éruptions cutanées m'attaquent de partout, plus seulement aux endroits où la friction permanente de mes chairs a créé des foyers d'infection. Papa y applique des lotions apaisantes. Mais que peut-il faire pour guérir les plaies intérieures ?

La nuit, je hurle. Chienne, louve, éléphante terrassée. Pas de lune éclairant mon ciel mais un visage crevassé par la vie, des mains rugueuses de charpentier, une odeur de sciure de bois. J'ai envie de lui plus encore que de nourriture. Envie de mon dieu humain. Pourquoi n'ai-je pas eu droit à quelques années, quelques mois de bonheur de plus avant que tout s'effondre ? Je n'ai même pas eu le temps de clore mes seize ans. Et d'avoir vécu cela, René, d'avoir connu tes paumes noueuses et ta bouche au goût de nicotine et de whisky, tes yeux couleur de flaque de pluie où nageait un peu d'or, beaucoup de gris, de t'avoir eu dans mes bras avec tes os et tes jointures, tes échancrures, cela me déchire un peu plus l'âme, rend encore plus profond le trou de ton absence, encore plus insupportable le silence, encore plus effrayant l'avenir dénué de tout, encore plus vide le vide, le vide, le vide de toi, René.

Mais je ne peux pas le lui dire.

Je ne peux que m'emmurer dans l'amertume et la solitude, pleurant de tout mon soûl la fin des espérances.

René a appelé. Dix, vingt, cent fois. Je n'ai pas répondu. Il sonne à la porte, crie, supplie pour qu'on lui ouvre. Homme étrange, après avoir tout détruit, il veut reconstruire. Ou peut-être sont-ils tous ainsi ? Il faut nous perdre pour avoir envie de nous reconquérir ? C'est ça, le jeu ?

Finalement, il glisse un mot dans la boîte aux lettres, que papa lit.

Dans un rare moment de lucidité, j'entends papa qui me dit : Je dois te lire ceci. Pourquoi ? Écoute, s'il te plaît. Je hoche la tête, trop épuisée pour protester. Il lit la lettre. Au milieu de déclarations d'amour et de désolation qui me retournent l'estomac, René m'assure qu'il n'a pas publié ces photos. C'est sûrement la personne qui les a développées, dit-il, mais pas lui, il le jure sur tout ce que nous avons partagé ensemble. Que le froid qui le terrifie tant l'engloutisse s'il ment. Je dois lui donner une chance de s'expliquer, dit-il.

Devrais-je me consoler de ce mensonge ? Devrais-je me dire que je n'ai pas tout perdu, que peut-être, nous deux, après, si jamais, qui sait, avec le temps, mais je ne parviens pas à mesurer ce qu'il dit, ce que cela change, rien sans doute. Je me suis repliée sur ma propre vie, sur ma souffrance, personne d'autre n'y a de place. Puisque mon univers est ce trou lucide, je l'assumerai seule. Personne n'aura le droit d'être malheureux avec moi.

D'ailleurs, je ne pourrai jamais revoir ses yeux sans me voir à travers eux. Et ce sont tes yeux, René, qui m'ont jetée en pâture, que tu l'aies voulu ou pas. Ton regard ne suffisait pas, il fallait que tu figes, que tu immortalises le monstre.

Pourquoi avoir ouvert cette brèche dans notre intimité ?

Ses déclarations excessives ne peuvent plus me toucher. Recommencer ? Pour revivre la douleur lorsque viendra l'heure de l'inévitable trahison ?

Non. Non. Je suis dans un lieu de brûlure où il ne peut me rejoindre. Il ne m'est d'aucune consolation. J'ai mal à lui, j'ai mal de lui, mais le mal est fait.

Voudrais-tu le revoir ? demande papa.

Je ne réponds pas.

On pourrait aller ailleurs, déménager, dit-il. Le temps qu'ils oublient ?

Pauvre père. Il ne mesure pas l'étendue du monde virtuel. On ne peut pas en sortir. Il est éternel. Il est partout. Infini. Il n'y a pas d'oubli possible, puisqu'il est hors du temps et de l'espace.

Nous avons inventé l'enfer.

Papa tente de me consoler comme il le peut, de la seule manière qu'il connaît, en m'apportant des plats sur un plateau, en continuant de me nourrir – me gaver –, voyant s'ouvrir ma bouche de bébé rabelaisien, le gouffre de mon ventre se profilant derrière cet espace toujours offert qui exige, encore et encore, alors que rien ne lui suffit désormais pour combler le vide de René et faire oublier, juste un instant, toute la haine qui s'y est déversée. Je me venge d'eux tous et de moi-même en dévorant davantage, il me faut des pâtes par fournées, des meules de fromage entières, des montagnes de viande, pics de pains, falaises de chocolat, plus haut, encore plus haut, pour construire mon Himalaya, celui du haut duquel je dois me lancer pour enfin disparaître en recouvrant le monde de ma substance, de ma colère.

Papa est une usine à nourriture. Il travaille sans faillir et sans se plaindre, mais je vois ses côtes qui saillent, les plis aux commissures de sa bouche, les rides brutalement creusées, la terreur au fond de son regard, le tremblement de ses mains ; mes chéries, mes chéries, murmure-t-il, et nous voilà de nouveau complices, tous les trois, réunis par notre fable infâme, ma prétendue gémellité réactualisée, et son amour, qui n'est au fond qu'un prétexte pour être aimé, ne m'aide pas, ne m'a jamais aidée, il offre à l'enfant capricieux tout ce qu'il veut, il le transforme en objet meurtrier qui se donnera sa propre mort, il veut recevoir sa gratitude et sa reconnaissance jusqu'à ce que l'enfant exponentiel meure sans avoir jamais su à quel point son père l'avait condamné dès sa naissance.

Je ne sais quelle folie vorace s'est emparée de moi, quelle obsession de l'engloutissement encore plus terrifiante que celle d'avant ; c'est désormais la seule façon que j'ai de m'arracher à la lecture des commentaires, de cesser de suivre le destin de mes photos et leur démultiplication. Papa et moi sommes prisonniers de ce piège qui nous unit dans un mariage immonde. Son apparence est de plus en plus défaite, de plus en plus hâve, il souffre autant que moi, mais il continue de m'engraisser, nous continuons, encore, encore, encore, torture exquise et répugnante qui n'a qu'une fin possible, celle, peut-être, que nous appelons tous les deux de nos vœux.

J'oscille entre dévastation et dévoration, chaque particule de douceur que distille mon père dans ses repas est un clou de plus enfoncé dans ma chair

encore, encore, encore. Le paradis des papilles n'a d'égal que l'enfer dans lequel la nourriture me fait sombrer, le fromage fondu adhère à mon palais, la surface des frites croustille en libérant leur chair vaporeuse, les tranches de thon cru glissent sous mes dents comme si le poisson était toujours vivant, la viande saignante rend l'âme en se fondant à la mienne, un poussin n'est qu'une bouchée vite mâchée, vite avalée, la petite vie n'ayant résisté que le temps de libérer un jus doux et tiède dans ma bouche, et encore, des spaghettis luisant sous leur sauce écarlate, du pain fraîchement cuit absorbant les sauces telle une éponge savoureuse, des ananas, diamants jaunes aux multiples facettes qui m'inondent de leur glu sucrée, des currys, chapelle ardente d'épices et de brûlures, agapes interminables, abominables, encore encore encore et à jamais

manger comme seule raison, à la fois de vivre et de mourir

pas le temps de digérer l'usine s'est emballée je vais exploser mon corps est sans limite j'appelle de tous mes souhaits une fin commensurable à ma naissance.

Le chant du corps est un chant malade.

Qu'est-ce qu'il craque et grince et gémit, ce corps qui grossit ! Dès les débuts de la vie, la cellule indivise de l'embryon est à peine formée que les changements s'amorcent. Le goutte-à-goutte des multiples dédoublements. L'expansion à laquelle doit se plier le corps maternel pour accueillir l'autre, dont la présence sera toujours, et à tout jamais, une joie et une souffrance.

On entend sa cantique douloureuse, ses ondoiements liquides, ses fulgurances. Le cœur est un orage auquel celui du bébé, minuscule, fait écho. Le sang voyage par à-coups, irriguant des champs de chair, déviant de sa trajectoire pour nourrir l'excroissance à l'intérieur de l'utérus.

On appelle l'accouchement un travail, mais il commence bien avant, ce magnifique labeur de gestation, ce sortilège biologique. Mais la mère humaine, elle, sait que cette métamorphose est hors de sa volonté et de son pouvoir, elle est la marionnette consentante et consternée de sa physiologie, son ventre s'éploie sous l'emprise d'une mécanique inéluctable tandis que son intellect s'efforce de préserver son autonomie – elle croit avoir choisi alors que rien, de tout cela, ne part d'un choix : ni l'attirance envers un mâle qui réveille ses hormones et les met en déroute, ni l'acte sexuel qui est un acte d'abandon, ni, surtout, la roulette russe des spermatozoïdes cherchant à atteindre leur cible pour perdurer.

Le chant du corps est un chant malade.

Ma mère m'a portée en pensant que, une fois sortie, je deviendrais une personne autonome dont elle serait fière.

Mais comment assumer le gonflement de l'enfant au-delà de toute attente, de toute mesure, ce minuscule corps parti du rien, du microscopique, devenant progressivement une impensable immensité que ne justifie aucune nécessité biologique ?

En est-elle seulement responsable ? Quelle est sa part de honte ?

Une mère peut-elle être vouée à rester éternellement mère, agenouillée au service de sa souveraine progéniture ?

Broyant tous les noirs accumulés dans ma courte vie, je la condamne à perpétuité, je la condamne au regret, je la condamne à la honte de m'avoir faite.

Coupable de ne pas avoir avorté. Qu'elle soit pendue haut et court. Je m'imagine avec plaisir l'instant où elle apprendra ma mort. Elle comprendra enfin que la vraie culpabilité des mères, c'est d'avoir mis au monde un enfant qu'elles n'auront pas su sauver.

Mais elle n'est pas là et c'est moi qui suis condamnée à perpétuité dans la prison de mon corps.

Moi, la gisante, je sais de quoi je parle. Tout m'a menée vers cette condition. Mon dos est une symphonie de douleurs, un tableau abstrait d'ecchymoses, mes organes s'affaissent sous le poids du gras qui les entoure. Si l'espèce humaine avait vraiment été programmée pour survivre, je n'en serais pas là. Nous aurions éliminé de notre alimentation ce qui condamne notre corps à l'apoptose, ou notre métabolisme se serait adapté à l'excès de calories, modifiant nos organes pour assumer notre voracité et transformer en énergie tout ce que nous ingurgitons.

Mais cela n'a pas été le cas. Nous ne nous sommes pas adaptés. Nous n'en avons pas eu le temps, vous comme moi. Nous aspirons à la paresse. Nos inventions ne cessent de nous rendre moins mobiles, nos mains seules suffisent pour nous permettre de communiquer avec le monde ; bientôt, c'est notre pensée qui le fera. Je suis l'aboutissement, la fin programmée et morbide de ce long processus.

Alors, pourquoi me plaindrais-je d'être telle que je suis ? Telle que le monde m'a faite ? Un fleuve qui déborde de ses berges, une houle de gras qui clapote au moindre mouvement, un squelette inhumé dans son cercueil de chair avant même de mourir ? Peut-être suis-je la mise en garde de l'espèce ? Voici ce que vous risquez de devenir, avec tous ces progrès technologiques qui vous dispensent de bouger et d'agir, vous incitent à dévorer toujours plus. Voilà l'utopie imbécile à laquelle vous aspirez. Regardez-moi bien : je suis votre avenir. Je suis votre devenir. Le monstre sacré dans sa bulle de bouffe.

J'écoute le chant de mon corps malade et je demande à mon père de me nourrir encore et encore. Je ne dois plus en avoir pour longtemps. Il ne peut en être autrement.

Ouvre les yeux.

Hein ?

Ouvre les yeux et vois la vérité. Tu ne peux pas t'enfermer dans un tel aveuglement.

Malgré moi, malgré mon abjection, je me surprends à rire. Alors que je m'en allais lentement et que j'avais fait un trait sur ma vie avec René, la revoici !

Elle s'est réveillée ! René l'avait fait taire, mais elle est de retour.

Quand il était là, tu n'avais pas besoin de moi.

Et maintenant ? Peux-tu me sauver du désastre ? Peux-tu inverser le cours du temps et me faire revenir en arrière, avant les photos, afin que j'empêche René de les prendre ? Si tu as ce pouvoir-là, ma frangine, alors je t'accueillerai à bras ouverts, j'accepterai ton existence, nous ferons ménage à trois, si tu veux, avec René. Dis-moi que tu peux accomplir cela, toi l'impossible, et je ne te renierai plus jamais.

Je ne peux pas nous faire revenir en arrière.

Alors fous-moi la paix.

Je te dois la vérité.

Laquelle ? La tienne ou la mienne ?

Les deux.

Si je l'avais eue sous la main, je l'aurais volontiers engloutie.

Tu les avais trouvées belles, ces photos. Tu en étais fière. À tes yeux, elles étaient des œuvres d'art.

Bien sûr, je les aimais. Je le sais. René, mon poète, mon peintre, mon amant, mon charpentier, mon crucifié, avait trouvé un moyen de plus de se donner à moi, de m'offrir davantage encore, d'outrepasser toutes les normes qui nous enchaînent, ses photos clamaient la liberté d'un homme complet dans ses manques, pur dans ses failles, absolu dans ses limites. Ses photos m'avaient rendue à moi-même aussi pleinement que ses mains et ses lèvres et son sexe. Il m'avait redonné un regard, m'avait fait voir que tout pouvait être beau, y compris les masses graisseuses, la difformité, les excès, j'étais bannie des sièges d'avion mais je pouvais m'épandre dans mon lit comme dans un nuage de soie et être belle enfin, belle vraiment, abandonnant ma vieille haine de moi, il m'avait donné cela, lui, René.

Jusqu'à ce qu'il me fasse retomber d'encore plus haut, jusqu'à ce qu'il m'enfonce la face dans la vase, jusqu'à ce qu'il me donne le coup de grâce en me forçant à les voir réellement, ces photos, et non plus à travers le prisme de l'amour, il n'y a plus rien à dire à ce sujet, parce que, vois-tu, parce que –

c'était toi

Quoi, moi ?

Toi qui as posté les photos sur Internet.

Le monde virtuel est anonyme. Derrière des symboles binaires, on peut cracher son fiel sans aucune crainte. Il nous a libérés de nos entraves morales. Dès que ces commentaires publics ont été autorisés, le monde s'est lâché. Le pire est remonté à la surface comme une écume nauséabonde. Pourquoi n'est-ce pas le meilleur de nous qui en est ressorti ? Les voix bienveillantes, les voix mesurées, les voix raisonnables ? Elles ont été étouffées par les autres. Ce que l'on entend, c'est la cacophonie de notre époque, celle de nos âmes, celle de nos consciences.

Tout s'éclaire et se rompt en même temps.

Je pense à ce qu'elle m'a dit. Quelque chose s'illumine et s'obscurcit.

Je pense à sa vérité. À la mienne. Celle à laquelle je refusais de faire face.

Pauvre narcissique délirante.

C'est vrai. J'ai voulu que d'autres admirent mes photos-œuvres d'art.

J'ai cédé à la maladie de notre siècle : le besoin de s'exposer.

J'ai pensé que je pouvais ainsi faire mentir les images de moi que l'œil propageait depuis mon enfance, dire à toutes ces filles à la minceur crétine, ces cruches délirantes obsédées par leur poids et le mien, occupées à faire la moue devant leur téléphone, prêtes à tout refaire d'elles-mêmes pour que l'œil les regarde avec complaisance, victimes d'une société abrutie d'égocentrisme, leur dire que moi aussi je pouvais être vue et admirée, que les *selfies* dont elles gavent le monde virtuel n'étaient pas la seule source de beauté, que je pouvais offrir une alternative à cet univers glacé de retouches savantes, de séduction primaire, de critères arbitraires, de fausseté abyssale. J'ai pensé que mes photos feraient le tour de la planète et exploseraient les mythes au sujet des obèses, que je pourrais nous montrer sous un jour autre que celui de l'horreur ou de l'apitoiement, modifier les regards qui se posent sur nous, les jugements qui pèsent sur nous –

faut croire que j'étais déjà dans un délire de folle pour avoir une seconde, une seule, cédé à cette tentation et avancé l'index, suspendu un instant au-dessus de la touche du clavier, hésitation instinctive mais trop brève pour être saisie, avant de cliquer sur *poster* et de donner des ailes à mes photos, des ailes à ma chute, à la mort qui m'attendait.

C'est moi qui ai perdu René.

Je pensais qu'il ne m'était pas possible d'être plus triste. Mais il y avait encore des vides sous les vides, et des pièges sous les pièges et je suis si lourde que je ne peux que m'enfoncer plus loin, au-delà du matelas et du sol, plus loin, dans la surface de la terre, plus loin encore, jusqu'au magma où je serais enfin à ma place, au centre de la brûlure des choses.

Je finis par rire de moi-même, un pauvre rire blême et broyé.

Dehors, une pluie insistante efface le monde. Je voudrais qu'un déluge vienne tout emporter, tout détruire. Qu'aucun bonheur n'ait le droit d'exister, que ces gens qui ne sont pas, comme moi, prisonniers de la cage de leur corps, ne puissent plus survivre. Un grand torrent de rage qui engloutirait tout et moi avec, que je puisse partir en ayant enfin l'impression d'appartenir à la même race que vous, d'être une sinistrée comme une autre, non une sinistrée de naissance.

Car c'est la fin du chemin : plus rien ne m'attend, pas même mon propre visage dans le noir. Ma sœur anorexique est venue m'infliger la vérité. La cruauté des sœurs. Elle ne pouvait pas me laisser partir doucement dans ma détresse, me laisser la consolation de croire que d'autres que moi étaient à l'origine de mon désastre. Il fallait qu'elle m'achève.

C'est ainsi. J'accepte. Il fallait en arriver là. Sur l'autre bord, où tout soudain me semble simple. Sur l'autre rive, où la paix m'attend enfin.

J'arrête mes séances de gavage. J'interdis à papa de m'apporter davantage de nourriture. Épuisé, il se retire dans sa chambre, je l'entends sangloter, je l'entends gémir, mais je ne peux plus le consoler, je ne suis pas celle qui le sauvera du regret, lorsqu'il se demandera à quel point il aura contribué à ma déchéance, je ne suis plus celle à laquelle il se raccrochera lorsqu'il ne supportera pas d'être seul.

Aujourd'hui, je m'appartiens. J'ai décidé. L'œil n'aura pas le dernier mot.

Lorsque le soleil de ma dernière journée se lève, je suis tellement déterminée que je ne pense pas à l'extrémité de douleur à laquelle je me condamne.

Puisque j'ai passé ma vie à tout engloutir, ce que je vais faire, ce que j'ai décidé, c'est de me dévorer.

Et c'est ce que j'entreprends.

Mon cerveau a déjà dû basculer au-delà du réel, ou bien ma chair distendue est anesthésiée par les couches de graisse, car je ne ressens rien.

Il faut que j'aille jusqu'au bout. Au bout du bout.

Je prends d'une main une masse qui pend du côté de mon abdomen. Avec le couteau à ananas de mon père, si bien aiguisé qu'il a pris une courbure de faucille, j'en découpe un morceau. Ça saigne un peu, mais vite, le sang coagule. Je tiens entre les doigts quelque chose qui ressemble à une tranche de porc cru. Je suis habituée à manger de la viande saignante. J'ouvre la bouche et y enfourne ma propre chair.

Goût de moi en moi. Glissant, tiède, visqueux, odeur fade du gras. Au début, cette viande semble n'avoir aucune saveur. Mais aussitôt après se manifeste, juste derrière, quelque chose d'autre, un goût amer, riche, organique, comme infusé de tout ce qui me constitue, ma personnalité, mes pensées, ma conscience, ma haine, mon amour, ma peur, mon rire, ma honte, mon histoire – je suis tout entière contenue dans cette bouchée de ma viande, habillée de l'épice secrète qui m'est propre.

Je continue.

Je me découvre en m'avalant, je découvre l'essence même de ce qui nous fait ; la parenté avec nos amies les bêtes que nous mangeons si volontiers, la futilité de notre condition humaine, de nos certitudes de grandeur et de supériorité, la terrible illusion d'immortalité qui nous pousse en avant, tout ceci m'apparaît clairement.

Un corps nu, fait de violence et de volupté. Je m'absorbe et me résorbe. Une fois commencée, la tâche devient facile. Je ne ressens rien d'autre que cela : violence et volupté.

Je continue. Autre morceau, autres souvenirs, autre mémoire de soi. Vertige d'instants piégés dans des cellules, des particules, des molécules.

Le bras. Le ventre. Le sein. Centre de ma féminité. Tout ce qui dépasse d'un corps, inutile mais aux secrets précieux. Que savons-nous de l'épice des hommes ?

Je pars. Morceau par morceau. Le sang qui s'échappe de moi est infini. Océan, cascade, niagara. Je ne savais pas qu'il y avait autant de moi. Autant de chair, autant de sang. Mais je ne suis pas encore rassasiée. Pas du tout. Je poursuis ma traque.

Je parviendrai à bout de la montagne, de mon Himalaya.

Ouvrant un œil englué de sel, je croise celui de mon ordinateur. Son œil pulse vert. J'aurais souri si j'en avais la force. J'aurais fait une de ces moues ridicules de canard que font les femmes qui se prennent sans cesse en photo. Tout ce temps, il m'a regardée partir en morceaux. C'est ainsi que je l'ai voulu.

L'œil a tout vu de moi, tout pris de moi. Maintenant, je m'empare de lui et le plie à ma volonté. Aucune moquerie ne sera possible face à mon acte. J'interdis à ceux qui me regardent toute dérision en les plongeant d'office dans une horreur extasiée. L'adoration de l'impossible.

Je détruis l'ultime tabou et anéantis du même coup leur suffisance. Ils ne pourront plus me regarder dans les yeux.

L'écran est habité. De messages, d'images, de fenêtres, de lucarnes, de fragments, l'explosion virtuelle du monde, venus de partout, de tous les lieux, rassemblés dans le poing fermé d'Internet pour devenir une seule entité monstrueuse aux milliards de visages, d'yeux, de bouches, tous braqués sur moi.

L'œil me contemple comme depuis une tombe, me scrute, me décortique. Mais derrière sa froideur clinique monte un chant cruel, apocalyptique, qui se fait entendre tandis que l'œil clignote doucement, complice ; vas-y, continue, tu t'étais déjà dénudée pour l'univers entier, maintenant tu peux poursuivre ta danse des sept voiles, des sept peurs, des sept chairs, tu as l'occasion d'aller plus loin, d'aller au-delà, alors vas-y, continue, explore, découpe, décape, va jusqu'à l'ultime et l'extrême, fais-le pour la galerie avide d'autre chose que des banales violences du quotidien

mais avant, encore une tranche de ton propre jambon ruisselant, une belle tranche rose marbrée de son lacis de graisse blanche, comme cela doit être savoureux, tu avales ce que tu excises et le monde t'applaudit, le monde fasciné ne peut s'empêcher de regarder, le monde terrorisé s'agglutine autour de la vision de ton corps disséqué, aucun spectacle ne sera comparable, tu les condamnes à rester désormais sur leur faim de sensations extrêmes, mais ils auront tes images à repasser en boucle jusqu'à ce que d'autres tentent à leur tour l'aventure de ton extase, et qui sait, peut-être deviendras-tu le symbole d'une nouvelle religion, le prophète de l'automutilation cannibale, et les jeunes qui n'ont plus rien à attendre ni à perdre seront tes dévots, ils vénéreront tes côtelettes et ta bavette, ton aloyau, ton grand prêtre sera boucher, fascinés par ton image, les gens oublieront d'autant mieux la vraie dévastation, les murs gigantesques qui encerclent leurs vies, les rats dévoreurs, les mendiants émaciés, les noyés par milliers, les mines antipersonnel déguisées en jeux d'enfants, ton acte d'horreur les console de leur propre terreur, tu es le miracle qu'ils n'attendaient plus, la vision d'un pire plus pire que le pire, après t'avoir vue réduire ton corps en fragments si semblables à la viande qu'ils mangent tous les jours, ils retrouveront le bonheur d'avoir, eux, un corps tout entier pour vivre, manger, forniquer, déféquer

après ça, tu seras le grand mythe, le maître du virtuel

continue

et je continue

mais à la toute dernière fin, à l'ultime bouchée si proche du cœur qui bat encore faiblement, erratiquement, obstinément, à ce moment-là, c'est elle que je revois, elle que je reçois : elle, ma sœur, ma jumelle fœtale et fatale, et son goût que je cherchais depuis si longtemps, si bien caché, est si intense, si téméraire, si puissant et si souverain que je comprends que ma faim, ma gloutonnerie, mon obsession me venaient effectivement de cela, de l'envie de la retrouver, de retrouver le goût de son pouce que j'ai peut-être sucé dans le ventre de ma mère en le prenant pour le mien, et le goût de cette chair subtile que j'ai sûrement absorbée pour me former, sans pour autant la tuer, en lui laissant toute son individualité, toute sa ténacité, tous ses rythmes et toutes ses haines

ce goût enfin me revient

je lui ai laissé à elle toute l'humanité que j'ai perdue en dévorant, et la voici qui revient se lover contre moi, intime et passionnelle, maintenant, enfin, je suis complète et achevée, je suis pleine et rassasiée, enfin toi, ma sœur, mon autre, ma complice, plus jamais seule, mon incomparable, et je n'aurai plus jamais faim.

Il n'est plus temps. Au commencement était un éléphant rose, qui à la fin s'est dévoré.

Tout est réduit à cela : un corps qui s'amenuise après s'être répandu sans limite.

L'obscurité me gagne. Il me semble voir René, agenouillé. Il me construira un mausolée de paille et d'écorce. Construis-moi un temple, René, à la mémoire de la déesse des obèses. Je serai bientôt votre divinité à tous. Venez, vous qui doutez, participer au partage de mon corps

et au diable tous ceux qui meurent et s'abîment dans un monde emmuré

je m'offre enfin au silence de la chair

Mise en pages PCA
44400 Rezé

Cet ouvrage a été imprimé par
CPI BRODARD ET TAUPIN
pour le compte des éditions Grasset
en décembre 2017.

Grasset s'engage pour l'environnement en réduisant l'empreinte carbone de ses livres. Celle de cet exemplaire est de :
750 g éq. CO_2
Rendez-vous sur www.grasset-durable.fr

N° d'édition : 20165 – N° d'impression : 3025793
Dépôt légal : janvier 2018
Imprimé en France